Sérénade pour un cerveau musicien

PIERRE LEMARQUIS

Sérénade pour un cerveau musicien

15, rue Soufflot, 75005 Paris

www.odilejacob.fr

ISBN : 978-2-7381-2309-1

Aux Beatles et à leur sous-marin jaune,
merveilleuse image de résilience,
et pour Wolfi, sans qui la vie serait une erreur.

Programme

Bandol, dimanche 27 janvier, 17 heures.

La municipalité varoise a décidé de fêter la naissance de Mozart et offre un concert dans l'église qui jouxte la mairie. Les auditeurs sont nombreux et comptent une bonne proportion de seniors qui ont écourté leur promenade dominicale sur le port, renonçant au pâle soleil d'hiver ou au shopping. Certains ont le regard perdu et le visage éteint, mais sont entourés de l'affection de quelques proches qui les rassurent. Ils ne reconnaissent pas toujours les amis qui les saluent, mais restent sensibles aux embrassades et s'animent un instant. Je sais qu'ils seront tout à l'heure capables de chantonner la *Petite musique de nuit*, même s'ils en ont oublié le nom et le compositeur. Un éclair de bonheur traversera leur regard, un sourire fugitif s'inscrira sur leur visage. Je pense à nouveau à cet appel téléphonique de Boris Cyrulnik qui me demande de participer à une réunion. Il me propose un sujet sur musique et résilience au cours du vieillissement, en particulier dans le cadre des interactions tardives dans la maladie d'Alzheimer…

Par habitude, mes yeux cherchent l'orgue de l'église et le localisent à la tribune. Cet instrument électronique m'en rappelle un autre sur lequel j'officiais tous les dimanches pendant mon adolescence à l'église Notre-Dame de la Pinède, à Juan-les-Pins. Un flot de souvenirs heureux me submerge un instant et me serre le cœur : les années lycée, les amis, le festival de jazz, la plage des pirates, les cours de sport séchés pour aller au festival de Cannes, la moto, les premières années de médecine, la découverte de la neurologie avec Benoît Kullmann, mon premier maître. Fin pédagogue doté d'une immense culture neurologique, il cultivait à l'époque une ressemblance avec John Lennon : lunettes rondes, cheveux longs et une passion parallèle pour le rock'n roll et la guitare électrique qui l'avait conduit à former un groupe et à se produire dans la région. Il me parlait des Rolling Stones, d'Eddie Cochran et je lui répondais Jean-Sébastien Bach, François Couperin. Et puis nous avons fini par jeter un pont entre le vigoureux « appel de anches » qui inaugure la célèbre *Toccata* et la *Fugue en ré mineur* du cantor de Leipzig et les émotions provoquées par les déhanchements de Presley… La neurologie et les Beatles sont entrés dans ma vie pendant que Beethoven et Mozart se frayaient un chemin dans le cœur de mon aîné si brillant.

Mais qui est donc cet adolescent effronté qui se faufile dans l'église bondée et qui va s'installer au premier rang en se glissant parmi les officiels ? Il n'arrête pas de gesticuler et je me demande s'il ne souffre pas d'une maladie des tics de Gilles de la Tourette. Il fixe les musiciens de son regard vif et perçant, l'air amusé.

Ces derniers sont pour l'instant au nombre de cinq et accordent leurs instruments. Vous reconnaissez la silhouette élancée du violoncelliste Manfred Stilz, déjà très concentré. Maximilian Fröschl, le chef d'orchestre viennois, va diriger l'ensemble des Harmonies d'Orphée. Il arrive sous les applaudissements, souriant et légèrement essoufflé, quelques gouttes de sueur perlent à ses tempes. Il remercie le maire pour son invitation et salue la présence dans l'assistance du sénateur et de son épouse. Il donne ensuite à son habitude quelques explications fort prisées du public sur le programme du concert, avec son enthousiasme, sa connaissance encyclopédique de l'œuvre de Mozart et son accent autrichien inimitable, prouvant sa parfaite maîtrise de la langue française et de l'oxymore : « La *Petite musique de nuit* K 525 en *sol* majeur (*Eine kleine Nachtmusik*) est une sérénade pour quintette à cordes (violon I et II, alto, violoncelle et contrebasse) composée par Wolfgang Amadeus Mozart en 1787.

« Elle met fin à une période d'angoisse de plusieurs mois qui ont vu la mort de Léopold Mozart, le père du musicien, et celle d'un ami proche du compositeur, le comte Hatzfeld, qui avait trente et un ans tout comme lui. La désaffection du public viennois après *Les Noces de Figaro* et le départ pour l'Angleterre de la cantatrice Nancy Storace, sa plus tendre amie, la créatrice du rôle de Suzanne, ont achevé de meurtrir le musicien qui s'est tu pendant un trimestre, comme son petit sansonnet, lui aussi décédé et enterré avec amour au fond de son jardin. Il crée au printemps deux somptueux quintettes à cordes qui trahissent son inquiétude : même dans les mouvements plus joyeux, Mozart danse au bord d'un gouffre, animé d'un allègre désespoir.

« La *Petite musique de nuit* signe la guérison qui conduira à la création en octobre à Prague du plus grand opéra de tous les temps : *Don Giovanni*. Elle est datée du 10 août 1787 et était à l'origine composée de cinq mouvements, avec un premier menuet après l'allegro ; celui-ci a été arraché de la partition initiale et n'a jamais été retrouvé. Même si elle est écrite pour un quintette à cordes, la partition ne comporte en fait que quatre parties, la contrebasse doublant à l'octave inférieure le violoncelle en permanence.

L'œuvre comporte quatre mouvements : « Allegro » ; « Romance, Andante » ; « Menuet, Allegretto » ; « Rondo, Allegro ». La sérénade est une composition musicale en l'honneur de quelqu'un, jouée, comme l'origine de son nom l'indique, en soirée. Ici, le destinataire de l'œuvre n'est pas connu [...]. »

À Boris Cyrulnik.
À Maximilian Fröschl.
À Benoît Kullmann.

Ouverture

« J'aimais la musique de Mozart », se souvient le roi Bérenger Ier qui tente de réunir ses souvenirs, alors que la maladie d'Alzheimer le ronge au fil de la pièce d'Eugène Ionesco *Le roi se meurt*. « Tu l'oublieras ! », prophétise avec ironie son épouse qui a de bonnes raisons de lui en vouloir. Le roi Lear, quant à lui, est plus chanceux. Sa fille Cordelia, la fille du cœur, celle qu'il avait pourtant rejetée, le sauve de la tempête et tente de le sortir de son chaos intérieur, de sa démence, convoquant les meilleurs thérapeutes du royaume :

> « LE MÉDECIN. Plaît-il à votre Majesté que nous éveillions le roi ? Il a dormi longtemps…
> CORDELIA. Faites ce que vous dicte votre savoir, et procédez au gré de votre volonté. L'a-t-on habillé ?
> *(Entre Lear sur une chaise portée par des serviteurs.)*
> LE MÉDECIN. Approchez je vous prie, plus fort la musique ! »
> [*Le Roi Lear*, IV, 7.]

William Shakespeare savait les pouvoirs de la musique et les utilisera dans d'autres pièces. Dans *Le Marchand de Venise*, on lit encore :

> « […] Il n'est rien dans la nature de si sensible, de si dur, de si furieux,
> Dont la musique ne change pour quelques instants le caractère ;
> L'homme qui n'a pas de musique en lui

Et qui n'est pas ému par le concert des sons harmonieux
Est propre aux trahisons, aux perfidies et aux rapines ;
Les mouvements de son âme sont mornes comme la nuit,
Et ses penchants ténébreux comme l'Érèbe ;
Ne vous fiez pas à un tel homme [...]. »
[Acte V, scène I.]

Écoutons donc la musique !

À la fin du règne d'Elizabeth Ire, les Anglais sont devenus un peuple musicien et l'enseignement de la musique constitue une partie importante du cursus scolaire. Shakespeare connaît les *Livres de la République* de Jean Bodin (1576), ce jurisconsulte, philosophe et théoricien politique français qui fait explicitement référence à la *République* de Platon, et dont les idées ont influencé l'histoire intellectuelle de l'Europe. Pour lui, la musique est un traitement classique des troubles de l'esprit : « La cadence harmonieuse et mesurée réduit la raison égarée à son principe », ou encore : « La musique guérit les maladies du corps par le moyen de l'âme, comme la médecine guérit l'âme par le moyen du corps. » Platon lui-même disait : « La musique est un moyen plus puissant que tout autre parce que le rythme et l'harmonie ont leur siège dans l'âme. Elle enrichit cette dernière, lui confère la grâce et l'illumine (*République*, III). » Dans le *Timée*, il considère d'un point de vue strictement musical la structure mathématique de l'âme du monde, laquelle comprendrait quatre octaves, une quinte et un ton ! Platon emprunte cette idée d'« harmonie des sphères » aux pythagoriciens, qu'il a rencontrés lors de ses voyages en Italie du Sud et en Sicile : « Qu'y a-t-il de plus sage ? Le nombre et, après lui, celui qui a donné leur nom aux choses. Quelle est l'activité humaine la plus sage ? La médecine. Qu'y a-t-il de plus beau ? L'harmonie. »

Les Grecs de l'Antiquité, les mythes et les théories physiques les plus avant-gardistes disent en fait la même chose : le big-bang aurait été un big-boum, un son primordial qui aurait structuré l'univers ; Shiva danse et crée le monde avec son tambourin ; selon saint Jean, au début était le Verbe...

L'actuelle théorie des cordes qui tente de réunir la mécanique quantique et la théorie de la relativité générale, de l'infiniment petit à l'infiniment grand, reprend les idées de Pythagore. Elle suppose que les constituants fondamentaux de l'univers sont des cordelettes toutes identiques, vibrantes à la manière d'un élastique, à des fréquences différentes à l'origine des particules élémentaires. L'homme serait intégré à cette symphonie cosmique, entre le microcosme et le macrocosme, ce qui laisserait augurer des pouvoirs extraordinaires de la musique, entre le « om » des moines tibétains, le pouvoir de l'énonciation des lettres hébraïques, les chants grégoriens, Mozart...

Dans le sillage de l'introduction du théâtre à l'asile psychiatrique par le marquis de Sade qui crée les célèbres « fêtes de Charenton », les tentatives d'utilisation de la musique en neuropsychiatrie au XIXe siècle ont été nombreuses : chaque asile a son orchestre, et on amène les pensionnaires à l'opéra. Cependant, après l'enthousiasme initial d'un Pinel, le médecin aliéniste Esquirol finit par conclure : « J'ai souvent employé la musique, j'ai très rarement obtenu quelque succès de ce moyen : il calme, il repose l'esprit, mais il ne guérit pas. » L'opinion d'Esquirol reste aujourd'hui partagée par les caciques de l'alzheimerologie en France et de la psychologie aux États-Unis. Steven Pinker, qui dirigea pendant vingt ans le département des neurosciences cognitives du Massachusetts Institute of Technology à Boston et exerce aujourd'hui à Harvard, parle de la musique avec brio mais pense qu'elle ne constitue qu'un accident de l'évolution, une cerise sur le gâteau, et que l'homme pourrait vivre sans elle. Pourtant, Boris Cyrulnik a affirmé récemment que la musique est comparable à une « braise de résilience » pour les personnes âgées et le neurologue américain Oliver Sacks ne cache pas son enthousiasme devant cette idée...

Alors faut-il ouvrir à nouveau le dossier ? Quels arguments avancer pour justifier de l'intérêt de la musique en dehors du plaisir esthétique évident ? À la lueur des connaissances actuelles, on sait que le cerveau musical existe, qu'il est sans doute antérieur au langage et lui survit, qu'il est modulable, ce qui prend tout son intérêt quand on sait que le cerveau âgé, même au début d'une maladie d'Alzheimer, présente des possibilités adaptatives et une certaine plasticité. La musique agit sur les émotions, sur les différents types de mémoires, tant épisodique que sémantique. Unie à la danse, elle stimule la mémoire procédurale, peut-être également la cognition. Elle permet de maintenir un lien social, une communication, une représentation de soi et constitue une braise de résilience. Il n'est pas impossible que la phrase précédente vous semble quelque peu obscure, voire énigmatique, si vous n'êtes pas versé dans les neurosciences. Laissez-vous porter par la *Petite musique* et, je l'espère, son contenu deviendra limpide. Cela s'appelle l'« effet Mozart ».

CHAPITRE 1

Le cerveau musical existe

Premier mouvement : héroïque

(Allegro)

> « Il n'y a donc pas lieu de considérer l'étude du cerveau comme moins importante que celle des autres infinis, les particules élémentaires et le cosmos – et même bien au contraire. »
>
> G. ORBAN.

Lorsqu'on parle de sons en physique, on fait référence aux ondes de pression produites par les molécules d'air en vibration. Les ondes sonores sont analogues aux ronds de plus en plus grands qui se forment à la surface quand on jette un caillou dans l'eau, à ceci près que les ondes sonores se propagent dans les trois dimensions de l'espace, créant une alternance de sphères de compression et de dilatation. Percevoir les sons est donc avant tout au départ être capable de percevoir des variations de pression, et l'ancêtre de l'ouïe est un organe chez les poissons qui permet à la fois de s'équilibrer et de capter les pressions. Une succession de cellules nerveuses situées le long de leur corps, la « ligne latérale », leur signale les vibrations de l'eau. La propagation des sons dans l'eau est nettement meilleure que dans l'air. Lorsque le pêcheur à la ligne réclame le silence autour de lui, ce n'est pas parce que vos paroles vont faire fuir le poisson, mais les vibrations de vos pas sur le sol.

Sortis de l'océan, les reptiles seront presque sourds aux sons aériens. Le cobra ne perçoit pas la musique du charmeur de serpent, il voit le mouvement de sa main qu'il suit de la tête, mais surtout et par tout son corps ressent les vibrations que ce dernier transmet sur le sol en battant la mesure avec ses pieds. Il ne se dressera le plus souvent qu'en attitude de défense face au stress encouru, perdant le contact avec le sol, devenant de ce fait complètement sourd et vulnérable. C'est la même perception vibratoire par les pattes qui permet à des troupeaux d'éléphants de se suivre de loin en loin dans la savane sans contrôle de la vue et de s'enfuir quelques heures avant l'arrivée d'un tsunami. Mais nous, qu'avons-nous sauvegardé de cette capacité de percevoir le monde ? Un ami wagnérien eut la bonne surprise, après de nombreuses années d'attente, de pouvoir enfin se rendre à Bayreuth au palais des festivals et de se retrouver au premier rang. Il avoue ne pas avoir hésité à ôter ses chaussures pour appuyer ses pieds sur la plaque en bois qui couvre la fosse d'orchestre afin de se sentir pénétré plus profondément par la musique des *Walkyries*.

Lorsque les reptiles donnent naissance, il y a environ 260 millions d'années, aux premiers mammifères, évoluant au cours du triasique vers de petites créatures ressemblant à des musaraignes, l'organe auditif reste celui de l'océan, inadapté à la conduction aérienne des sons. Parallèlement, la possession de membres permettant la préhension de la nourriture n'oblige plus à posséder cette capacité d'ouverture de mâchoire si spectaculaire des reptiles qui leur permet d'avaler un kangourou, voire un éléphant – si l'on en croit Saint-Exupéry et son Petit Prince. Mais que s'est-il passé après ?

Un article publié dans la revue *Nature* en mars 2007 raconte la découverte en Chine par des paléontologues, dans la province de Hubei, du fossile d'un petit mammifère, le *Yanoconodon allini*, qui apporte de nouveaux éléments sur l'évolution de l'oreille chez les mammifères : l'amplification du signal sonore aérien est rendue possible par l'apparition de l'oreille moyenne et de sa chaîne d'osselets, le marteau, l'enclume et l'étrier, qui transmettent vers le milieu liquide de l'oreille interne les vibrations ressenties par le tympan. Pendant des millions d'années, ces osselets ont évolué à partir de l'os de la mâchoire des reptiles, s'en détachant peu à peu pour s'individualiser au sein de l'oreille moyenne, permettant l'amplification de l'écoute en milieu aérien à un niveau près de deux cents fois supérieur. Sur le fossile du *Yanoconodon allini*, petit animal à fourrure de 15 centimètres de long, au corps très allongé, qui vivait il y a environ 125 millions d'années, au temps des dinosaures, Zhe-Xi Luo et ses collègues du Musée d'histoire naturelle de Carnegie aux États-Unis ont identifié les futurs osselets qui commencent à se détacher de l'os de la mâchoire sans avoir encore atteint leur forme actuelle.

Oreille interne qui nous vient de l'océan ; oreille moyenne qui nous est fournie par la mâchoire des reptiles… Manque encore l'oreille externe avec son pavillon, sa conque et son conduit auditif, pour parfaire le dispositif, recueillir l'énergie sonore du milieu aérien et la focaliser sur la membrane tympanique en l'amplifiant de trente à cent fois pour les fréquences les plus courantes, celles du langage, des consonnes « plosives », [b] et [p] par exemple, aux alentours de 3 000 hertz, avant la transmission au milieu liquide de l'oreille interne (sans oublier l'avantage esthétique et économique indéniable du lobe de l'oreille).

Dans l'oreille interne, la cochlée, petit escargot d'un centimètre de large, contient une membrane de 35 millimètres de long enroulée en spirale. Elle agit comme une sorte de prisme acoustique et décompose les sons complexes en leurs innombrables composantes élémentaires. L'énergie vibratoire des ondes sonores est ainsi transformée en signal électrique, l'influx nerveux, transmis au cerveau par le nerf auditif. Chaque point de la cochlée répond à une fréquence déterminée. Les résonateurs de basse fréquence (les graves) se trouvent à l'extrémité de la membrane et les hautes fréquences (les aigus) au début, comme avec la corde tendue pincée par Pythagore. Les fibres du nerf auditif transmettent chacune leurs fréquences caractéristiques, des plus graves aux plus aiguës, en fonction de leur point de départ sur la membrane de la cochlée, et ce jusqu'à l'arrivée au cerveau. Ce dernier peut d'ailleurs en retour moduler les informations décryptées par la cochlée.

Mais la cochlée ne se comporte pas comme une simple biomécanique. William Bialek et ses collaborateurs de l'Université de Princeton ont montré que, chez la grenouille taureau, le nerf auditif encode plus efficacement les appels sexuels des congénères que des sons artificiels présentant les mêmes caractéristiques de fréquence et d'intensité. Le système auditif périphérique est donc modulable et optimisé pour transmettre les vocalisations propres à l'espèce et les signaux sonores adaptés à sa survie. Il ne se borne pas à transmettre vers les centres auditifs tous les sons de manière uniforme. Serait-ce là l'explication de l'acuité auditive parfois paradoxalement retrouvée par un senior, dont la surdité est habituelle, lorsqu'un sujet qui le touche est abordé ?

De l'oreille au cerveau

L'homme peut détecter les sons d'une fréquence de 20 à 17 000 hertz, atteignant 20 000 hertz pour les jeunes enfants, soit la limite inférieure de perception des chauves-souris qui captent jusqu'à 200 000 hertz et utilisent, comme les dauphins, l'écholocation, émettant des vocalisations de très haute fréquence pour déterminer avec précision la position d'une proie. À l'inverse, une sensibilité préférentielle aux vibrations de basse fréquence permet d'entendre les prédateurs s'approcher.

Le trajet emprunté par le message envoyé par la cochlée est particulièrement long et tortueux : jusqu'à cinq neurones à la suite plongeant au plus profond du tronc cérébral, croisant les structures les plus archaïques du cerveau, soit plus de matériel neuronal que pour l'ensemble des autres sens réunis, avant d'atteindre le cortex cérébral, l'écorce du cerveau, là ou émergerait la conscience, crevant la surface au sommet du lobe temporal, soit juste derrière l'oreille, pratiquement au point de départ pour certaines fibres, de l'autre côté pour la plupart d'entre elles ! Pas étonnant que la musique nous procure des émotions, parfois incontrôlables, avant de nous donner des sentiments plus subtils ! Au passage, la comparaison entre le léger décalage temporel du message en provenance de chaque oreille, compte tenu de l'éloignement différent pour chacune de la source sonore, aura permis l'installation de la stéréophonie. Et, mieux encore, puisque la provenance du son va être précisée dans la totalité de l'espace, à un degré près.

Après un dernier relais au cœur du cerveau, dans le thalamus, qui sert à filtrer les informations qui arrivent, et permet à la fois la reconnaissance du son (analyse des fréquences) et sa localisation (analyse temporelle), le message auditif atteint enfin l'écorce, le cortex cérébral auditif, au niveau du pôle supérieur du lobe temporal, diffusant vers les régions adjacentes extérieures (cortex auditif secondaire) et au-delà. Une fois de plus, certains groupes de neurones peuvent être spécialisés, par exemple dans la reconnaissance de combinaisons de sons propres à certaines vocalisations : c'est ce qui permet, par exemple, à un couple de manchots empereurs de se localiser au milieu d'une colonie de six cents braillards noyés dans le blizzard. C'est ce qui vous permet aussi de continuer à parler avec votre interlocuteur au milieu du brouhaha d'une réception (« effet cocktail party »). Le parcours se termine sur le lobe temporal, à l'arrière de l'aire auditive secondaire, sur l'aire de Wernicke, dont on sait que la lésion entraîne la perte de la compréhension du langage humain.

Le message est maintenant arrivé dans votre cerveau. Lorsque votre téléphone portable sonne et que vous l'approchez de votre oreille, votre première question va être pour identifier votre correspondant : « Qui est-ce ? », « Qu'est-ce que c'est ? », « *What ?* » Le plus souvent, l'interlocuteur décline son identité immédiatement (sinon, vous risquez de lui raccrocher au nez !). Une fois l'information obtenue, et en général après ce que les éthologues nomment un bref discours de « toilettage » qui, à l'instar de l'épouillage chez les singes, montre l'absence d'agressivité et les bonnes dispositions, surgit la deuxième question fondamentale, le célèbre « Téoù ? », « *Where ?* », afin de localiser l'endroit où se trouve le correspondant. Notre cerveau réagit de la même façon à l'arrivée d'une information sensorielle, qu'elle soit visuelle, tactile ou auditive.

Les informations permettant la reconnaissance du son (« Qui est là ? », « *What ?* ») partent vers le pôle temporal antérieur tandis que celles impliquées dans sa localisation spatiale (« Téoù ? », « *Where ?* ») se dirigent vers l'arrière, puis le cortex pariétal postérieur. Elles permettront des réactions adaptées : les voies antérieures gagnent le cortex frontal, qui joue un rôle dans la mémoire de travail (il faut retenir le nom du correspondant pour pouvoir dialoguer avec lui) ; les voies postérieures gagnent le cortex préfrontal latéral, directement et *via* le cortex pariétal, très impliqué dans les processus de spatialisation (« Où es-tu ? »). Et c'est ainsi que le chef d'orchestre va pouvoir reconnaître chaque instrument, le positionner dans l'espace et se souvenir individuellement des erreurs commises. Mon ami viennois Maximilian Fröschl, à qui est dédié ce livre, a eu le privilège de travailler comme chef d'orchestre avec Herbert von Karajan. Il a vu le maître rectifier la position de deux choristes qui avaient interverti leur place entre deux répétitions de la *Messe du couronnement* de Mozart, alors que les chœurs comptaient plus d'une centaine d'exécutants et l'orchestre tout autant.

Exploration du cerveau musical

Nous voici arrivés sur l'écorce cérébrale. Nous avons vu qu'il existait à tous les niveaux une adaptation des voies auditives pour arriver à reconnaître un signal sonore et à le localiser dans l'espace en fonction des besoins des espèces. La reconnaissance des vocalisations des congénères est une priorité. Mais qu'en est-il de la musique, avec ses caractéristiques mélodiques, harmoniques, ses timbres, ses rythmes, son tempo ? Comment le message va-t-il être décodé ? Existe-t-il une zone spécifique du cerveau ? Des circuits spécialisés pour l'aspect mélodique (« quoi ? ») et temporel (« quand ? ») ? Existe-t-il un cerveau musical ?

FRANZ JOSEPH GALL ET LA BOSSE DE LA MUSIQUE

L'un des premiers à s'être posé la question vivait à Vienne en même temps que Mozart et travaillait dans le laboratoire d'anatomie du professeur Van Swieten, celui-là même qui avait été envoyé à Versailles pour traiter l'impuissance de Louis XVI et qui découvrit son phimosis – son fils fut aussi le plus fidèle mécène du compositeur autrichien. Franz Joseph Gall, fils d'immigrés italiens (Gallo), d'abord tenté par la prêtrise, étudie la médecine à Strasbourg. Il constate très tôt la proéminence des orbites chez les sujets les plus brillants. Arrivé en Autriche, il propose brillamment de nouvelles coupes anatomiques du cerveau et, le premier, distingue la substance blanche de la substance grise. Il formule également l'idée très moderne de la plasticité cérébrale, pensant avec justesse que le cerveau s'adapte et évolue, se développant en fonction de ses capacités initiales et acquises. L'erreur de Gall est d'imaginer que cette adaptation se voit à l'œil nu et modifie la forme des reliefs du crâne dont les « bosses » reflètent la personnalité et les capacités des sujets : la « phrénologie » est née. Cette dernière connaît un vif succès, gagne la France, l'Europe et même l'Amérique. Elle intrigue les politiques, mais Napoléon s'y oppose : « Voyez l'imbécillité de Gall : il attribue à certaines bosses des penchants et des crimes qui ne sont pas dans la nature, qui ne viennent que de la société et de la convention des hommes. » La phrénologie réussit pourtant à infiltrer la justice, car Fouché, convaincu par l'impératrice Joséphine, l'adopte : elle restera dans l'arsenal de la police jusqu'au début du XXe siècle. La bosse du crime, située juste derrière les oreilles, peut éventuellement être tempérée par la bosse de la ruse qui se trouve en avant. Le Vatican en est agacé, car la bosse de la croyance en Dieu, naturellement située au sommet du crâne, met fin au libre arbitre. Lorsque Gall identifie immédiatement sur un crâne tous les organes d'un grand artiste et qu'on lui révèle qu'il s'agissait de celui de Raphaël, le pape Grégoire XVI n'hésite pas à faire ouvrir la tombe du peintre dans l'église Sainte-Marie-de-la-Rotonde, infligeant un revers cuisant à la science des bosses : le squelette retrouvé est entier, le crâne examiné par Gall était donc un faux !

Le monde des arts est pris dans la tornade. Alfred de Musset assiste aux réunions de la Société de phrénologie de Paris ; Balzac, Eugène Sue et Flaubert en parlent dans leurs romans ; le chevalier Dupin d'Edgar Poe et Sherlock Holmes possèdent dans leur panoplie de détective un crâne de phrénologie ; David d'Angers sculpte sur le fronton du Panthéon la Patrie, entre la Liberté et l'Histoire, distribuant les palmes aux Grands Hommes, en respectant les règles de la « doctrine des bosses » ; Rossini se fait

« cranioscoper » par Gall lui-même ; Joseph Haydn est décapité sur son lit de mort et sa tête dérobée par d'impétueux phrénologues viennois.

La fameuse « bosse des maths » se trouve sur la partie externe de l'arcade sourcilière et le sens du rapport des tons, le talent pour la musique, se situe en continuité, au-dessus, au milieu du front. La proximité entre le sens du rapport des tons, de la musique, et celui du rapport des nombres, le talent pour le calcul, aurait plu à Pythagore : « Dans le cerveau, nous dit Gall, l'organe des nombres est comme la continuation de celui de la musique. » Juste au-dessus et en dedans se localise le sens de l'ironie. Mathématique, musique, ironie... : Mozart n'est pas loin, bien que les deux hommes ne se soient, semble-t-il, jamais rencontrés. Notons que le présumé crâne du divin compositeur, exhumé de la fosse commune dix ans après sa mort et tombé aux mains des phrénologistes, est trigonocéphale, c'est-à-dire pointu vers l'avant... Sur la musique, Gall note : « Tout médecin connu pour s'occuper de phrénologie est exposé à mortifier profondément, soit les jeunes virtuoses imaginaires, soit leur famille, quand, par l'inspection de leur crâne, il constate l'absence complète du sens du rapport des tons... Rien n'est plus rare que cet organe cérébral et la conformation du crâne qui en est l'indice. Si vous la découvrez chez un enfant, avant de le diriger vers la carrière musicale, consultez d'autres régions du crâne où peuvent exister des protubérances qui, sans rapport direct avec le sentiment de la musique, influent cependant d'une manière prépondérante sur le genre de talent du futur musicien et sur le caractère de ses compositions à venir. S'il a tout à la fois, avec la protubérance de la musique, celle du sentiment religieux, il n'excellera que dans la musique religieuse ; s'il associe à la protubérance musicale celle du meurtre, il n'est apte qu'à produire de la musique militaire... Un enfant peut avoir l'oreille très sensible et une grande aptitude pour la mémoire des sons ; il retiendra des airs, des sonates, des concertos entiers ; il les répétera correctement ; s'il n'a pas l'organe de la musique suffisamment développé, il ne sera jamais musicien. »

À l'époque, la bosse de la musique est considérée comme fréquente chez les Allemands et les Italiens, très rare chez les Anglais, peu commune chez les Français et les Espagnols, encore moins commune, précise Gall, « chez les nègres d'Afrique et chez les peuples de la Polynésie ». Elle « manque totalement chez une foule de femmes qui se disent passionnées pour la musique, parce que, dans leur jeunesse, elles ont dépensé plus ou moins de temps et d'argent pour apprendre à faire un bruit désagréable ; ces femmes ne possèdent pas le sens du rapport des tons ; elles ne sont pas musiciennes le moins du monde, bien que leur vanité s'exalte par les applaudissements qu'elles recueillent en faisant, passablement, par pure routine, de la musique médiocre ». Pourtant, Gall avait la réputation d'être un coureur de jupons, les femmes et l'horticulture étant ses seules passions en dehors de l'étude des crânes !

DE L'INFLUENCE DE GALL SUR LA LOCALISATION CÉRÉBRALE DU LANGAGE

Bien que rejeté dans les poubelles de la neurologie, Franz Joseph Gall fut l'un des premiers à croire pouvoir capturer les comportements, sinon la pensée humaine, dans les filets de la science, « participant à l'instauration d'un imaginaire social confiant au savoir scientifique l'explication des comportements humains » (Reneville). Son influence sur le XIXe siècle est équivalente à celle d'un autre Viennois sur le XXe siècle, qui débuta également sa carrière comme neuroanatomopathologiste : Sigmund Freud. Sa théorie localisationniste des capacités intellectuelles influencera le neurologue français Paul Broca, lorsqu'il situe dans « la partie moyenne du lobe frontal de l'hémisphère gauche », plus exactement au pied de la troisième circonvolution frontale, la cause de la perte de la parole de son patient passé à la postérité sous le surnom de Monsieur Tan, dans un article du *Bulletin de la société anthropologique* resté célèbre.

Monsieur Tan

« M. Broca, à l'occasion du procès-verbal, présente le cerveau d'un homme de cinquante et un ans qui est mort dans son service à l'hôpital de Bicêtre, et qui avait perdu depuis vingt et un ans l'usage de la parole. La pièce devant être déposée dans le musée Dupuytren, et l'observation complète devant être publiée dans le *Bulletin de la Société anatomique*, nous nous bornerons à donner ici un court résumé de ce fait...

« À l'époque de son admission, Tan était parfaitement valide et intelligent. Au bout de dix ans, il commença à perdre le mouvement du bras droit, puis la paralysie gagna le membre inférieur du même côté, si bien que, depuis six à sept ans, il a continuellement gardé le lit. Puis on s'est aperçu que sa vue s'affaiblissait. Enfin, ceux qui étaient en rapports particuliers avec lui avaient remarqué que son intelligence avait beaucoup baissé dans ces dernières années.

« Le 12 avril 1861, il fut transporté dans le service de chirurgie de l'hospice pour un vaste phlegmon diffus gangreneux, qui occupait toute l'étendue du membre inférieur droit (du côté paralysé), depuis le cou-de-pied jusqu'à la fesse. Ce fut alors que M. Broca le vit pour la première fois. L'étude de ce malheureux qui ne pouvait parler et qui, étant paralysé de la main droite ne pouvait écrire, offrait bien quelque difficulté. On constata toutefois que la sensibilité générale était partout conservée, que le bras et la jambe gauche obéissaient à la volonté ; que les muscles de la face et de la langue n'étaient point paralysés, et que les mouvements de ce dernier organe étaient parfaitement libres.

« L'état de l'intelligence n'a pu être exactement déterminé, mais on a eu la preuve que Tan comprenait presque tout ce qu'on lui disait. Ne pouvant manifester ses idées ou ses désirs que par les mouvements de sa main gauche, il faisait souvent des gestes incompréhensibles. Les réponses numériques étaient celles qu'il faisait le mieux, en ouvrant ou fermant les doigts. Il indiquait, sans se tromper, l'heure d'une montre à seconde. Il savait dire exactement depuis combien d'années il était à Bicêtre, etc.

« Toutefois, diverses questions auxquelles un homme d'une intelligence ordinaire aurait trouvé le moyen de répondre par le geste, sont restées sans réponse intelligible ; d'autres fois la réponse était claire, mais ne se rapportait pas à la question. Il n'est donc pas douteux que l'intelligence du malade avait subi une atteinte profonde, mais il en conservait certainement plus qu'il n'en faut pour parler.

« Le malade est mort le 17 avril 1861. À l'autopsie, on a trouvé la dure-mère épaissie et vascularisée, tapissée à sa face interne d'une épaisse couche pseudo-membraneuse… Le lobe frontal de l'hémisphère gauche est ramolli dans la plus grande partie de son étendue… Il est résulté de cette destruction de la substance cérébrale, une grande cavité, capable de loger un œuf de poule, et remplie de sérosité… Il suffit de jeter un coup d'œil sur la pièce pour reconnaître que le foyer principal et le siège primitif du ramollissement sont la partie moyenne du lobe frontal de l'hémisphère gauche ; c'est là qu'on trouve les lésions les plus étendues, les plus avancées et les plus anciennes. Le ramollissement s'est ensuite propagé très lentement dans les parties environnantes ; et l'on peut considérer comme certain qu'il y a eu une très longue période pendant laquelle le mal n'occupait que les circonvolutions du lobe frontal. Cette période correspond probablement aux onze années qui ont précédé la paralysie du bras droit, et pendant lesquelles le malade, ayant conservé toute son intelligence, n'avait perdu que la parole.

« Tout permet donc de croire que, dans le cas actuel, la lésion du lobe frontal a été la cause de la perte de la parole. »

Paul Broca, compte rendu, 1861.

Bien qu'il se défie de la phrénologie, le raisonnement de Paul Broca s'inscrit dans la mouvance localisationniste des fonctions cérébrales initiée par Gall, avec toutefois un raisonnement scientifique recadré par l'*Introduction à la médecine expérimentale* du physiologiste Claude Bernard (1856). Broca rend toutefois hommage à Gall, écrivant : « Tout ce qui concernait les rapports de l'esprit avec la matière avait été mis en question, et au milieu des incertitudes qui entouraient la solution de ce grand problème, l'anatomie et la physiologie, jusqu'alors réduites au silence, devaient enfin élever la voix. Ce fut Gall qui fut l'auteur de cette espèce de réforme scientifique. Il eut l'incontestable mérite de proclamer le grand principe des localisations cérébrales, qui a été, on peut le dire, le point de départ de toutes les découvertes de notre siècle sur la physiologie de l'encéphale » (*Sur le volume et la forme du cerveau suivant les individus et suivant les races*, 1861). En 1997, Stanislas Dehaene, professeur au Collège de France dont les travaux visent à élucider à l'aide de méthodes d'imagerie cérébrale les bases cérébrales des opérations les plus fondamentales du cerveau humain (lecture, calcul, raisonnement, prise de conscience), n'hésitera pas à publier le résultat de ses recherches sur le cerveau et les nombres sous le titre facétieux et évocateur de « la bosse des maths » !

Mais revenons à Paul Pierre Broca ou, plus exactement, à Jean-Baptiste Bouillaud. Trente-six ans avant Broca, le docteur Bouillaud a publié un *Traité clinique et physiologique de l'encéphalite ou inflammation du cerveau* (1825), dans lequel il expose sa thèse sur les localisations frontales du centre du langage, inspiré par les principes de la phrénologie. Il y énonce le principe de la double dissociation, pilier théorique du raisonnement en neuropsychologie : « Si le langage est bien localisé dans les lobes frontaux du cerveau, alors deux conclusions peuvent être tirées, d'une part, en cas d'atteinte des lobes frontaux, le langage doit être aussi affecté, d'autre part, si les lésions touchent d'autres zones du cerveau, alors le langage doit être épargné. » Et c'est à la suite de ses travaux que Broca fait sa découverte. Bouillaud est également le premier à démontrer que la perte du langage, l'aphasie, existe sous deux formes : soit une incapacité motrice à produire les mots (aphasie de Broca), soit une incapacité à comprendre, mémoriser et générer des mots (aphasie de Wernicke par atteinte de la région temporale postéro-supérieure). Peut-on, maintenant, appliquer le principe de la double dissociation pour tenter de prouver l'existence du cerveau musical et dire, par exemple, « s'il existe des circuits cérébraux spécifiques pour la musique, distincts de ceux du langage, alors il doit exister des situations pathologiques dans lesquelles seules les capacités musicales sont atteintes (amusie sans aphasie) et *vice versa* (aphasie sans amusie) » ?

PERTE DE LA PAROLE AVEC CONSERVATION DU SENS MUSICAL

Bouillaud a été le premier à relever le défi. En 1865, il rapporte le cas d'un patient qui présente « un grand embarras de la parole avec conservation des autres fonctions intellectuelles » et note qu'il reste capable de composer et d'écrire un morceau de musique. Un peu plus tard, le professeur Adrien Proust, père de Marcel, est reçu avec mention au concours d'agrégation en médecine en 1866 ; sa thèse traite « des différentes formes de ramollissement du cerveau ». En 1872, il rapporte le cas d'un patient « qui peut noter une phrase musicale qu'il entend chanter sans pouvoir parler ou écrire ».

De nombreux cas d'aphasie sans amusie vont être rapportés, l'un des plus spectaculaires étant celui du compositeur russe Vissarion Chébaline, décrit par le neurologue soviétique Alexandre Romanovitch Louria, auteur d'un ouvrage très localisationniste, *Les Fonctions corticales supérieures de l'homme* et, accessoirement, inventeur du détecteur de mensonge. Le compositeur, victime d'une hémorragie cérébrale à cinquante-sept ans dans les régions temporales et pariétales inférieures gauches, s'est retrouvé aphasique et paralysé du membre supérieur droit, ce qui ne l'empêchera pas de composer encore pendant quatre ans, en particulier sa *Cinquième Symphonie* qui est encensée par Chostakovitch (« brillante création regorgeant d'émotions sublimes, d'optimisme et de vie »). Plus près de nous, en 1987, un cas d'aphasie sans amusie chez un organiste aveugle[1] par ramollissement temporal gauche est décrit : le patient est toujours capable de lire de la musique en braille. En 1995, Bernard Lechevalier relate l'observation de cinq musiciens professionnels droitiers qui, devenus aphasiques dans des conditions similaires, peuvent toujours lire la musique, mais pas un texte verbal, et qui ont continué leur carrière.

En dehors de l'étude des lésions cérébrales provoquées par les accidents vasculaires, les traumatismes ou la neurochirurgie, d'autres conditions pathologiques plaident en faveur de l'existence de circuits cérébraux spécialisés dans la musique. Les autistes, 1 à 2 cas sur 1 000 naissances, présentent une altération grave du développement, en particulier du langage, et souvent un retard mental, mais le cerveau musical est parfois épargné (dans d'autres cas, il s'agit des mathématiques). On estime que 1 à 10 % peuvent être qualifiés de musiciens, parfois très doués. Ces chiffres semblent indiquer une relative autonomie de cerveau musical, lequel se développerait indépendamment du reste du système cognitif. Le plus connu de ces « savants idiots » est sans doute « Blind Tom », Tom l'aveugle. Acheté avec sa mère sur le marché aux esclaves en Géorgie en 1850 par le colonel Bethune, il ne parle pas et ne manifeste de l'intérêt que pour la musique. Il écoute les filles du colonel jouer du piano allongé sous l'instrument et, à quatre ans, interprète les sonates de Mozart qu'il a entendues. À six ans, il peut improviser et donne son premier concert à sept ans. Il réalise en 1862 le même exploit que Mozart au même âge : le petit Amadeo avait reproduit le *Miserere* d'Allegri, motet à neuf voies d'une durée de quinze minutes, après une seule écoute à la chapelle Sixtine ; Tom, qui ne peut lire la musique, rejoue de mémoire et sans erreur une composition de quatorze pages après l'avoir entendue une seule fois. Il donnera par la suite des concerts à la Maison Blanche et dans le monde entier. Si son vocabulaire comporte moins de cinq cents mots, son répertoire musical dépasse les cinq mille pièces.

Autre maladie pouvant être invoquée ici : le syndrome de Williams. Cette maladie génétique résulte d'une atteinte du chromosome numéro 7. Les enfants qui sont touchés sont petits et ont un visage d'elfe, un nez en trompette, un grand front, une grande bouche avec une lèvre inférieure éversée. Ils sont généralement très serviables, gentils, attachants et presque maniérés. Ils présentent un retard mental, mais, contrairement aux autistes, ont un langage satisfaisant et fluant. Ce sont les fonctions de perception visuelle et la capacité à dessiner qui sont très altérées par atrophie des lobes cérébraux occipitaux et pariétaux. En revanche, ils possèdent souvent l'oreille absolue et d'excellentes capacités musicales avec des lobes temporaux développés.

PERTE DU SENS MUSICAL AVEC CONSERVATION DU LANGAGE

Inversement, des cas d'amusie sans aphasie ont été rapportés, en particulier celui d'Isabelle. Après trois interventions pour malformations vasculaires cérébrales avec des séquelles de ramollissements temporaux, la patiente communique à peu près normalement, écrit des poèmes, mais est incapable de reconnaître ou de reproduire le moindre air familier ou nouveau. Pour Bernard Lechevallier (1985), les amusies peuvent au minimum entraîner la simple perte de la possibilité d'identification d'une œuvre entendue (lésion temporale gauche pour un droitier, au niveau des aires auditives primaire et secondaire), souvent associée à une aphasie de « compréhension » (Wernicke) : les patients peuvent jouer de leur instrument, faire une dictée musicale, harmoniser une mélodie, mais ils ne peuvent pas identifier un air même s'ils viennent de le jouer. Au maximum, les amusies provoquent la perte de la capacité de reconnaître la qualité musicale d'un son : la musique devient un bruit indistinct, dans le cadre d'importantes lésions pariéto-temporales bilatérales.

Dans certains cas, des amusies sélectives sont décrites :

— troubles sélectifs de la perception des rythmes (temporal gauche le plus souvent) ;

— altération de la perception des hauteurs de sons étudiée chez un violoniste ;

— altérations des timbres chez un organiste ;

— perte isolée de la discrimination des mélodies (lésions fronto-temporales droites) : 5 % de la population serait ainsi incapable de reconnaître ou de percevoir les mélodies. C'est l'histoire de Che Guevara qui restait assis pendant l'hymne national cubain alors même qu'il avait le sens du rythme et pouvait danser ! À Toulon, lorsque la musique de la flotte entonne *La Marseillaise*, un signal permet aux jeunes recrues de se lever à temps et d'éviter ainsi quelques corvées punitives…

ÉTUDES SUR CERVEAUX SAINS

Si l'étude des fonctions cérébrales a longtemps consisté à interpréter les effets de lésions pathologiques, l'étude du cerveau sain avec de nouveaux moyens a apporté

Entendre ou croire entendre

D'autres arguments cliniques plaident en faveur de l'existence d'un cerveau musical, par exemple les crises d'épilepsie déclenchées par la musique. Environ quatre-vingts cas sont recensés, le plus connu à ce jour étant celui rapporté par MacDonald et Critchley en 1977. La patiente convulsait chaque fois qu'elle entendait *ou imaginait entendre* la *Valse des fleurs* de Tchaïkovski. Son électroencéphalogramme, c'est-à-dire l'enregistrement de l'activité électrique de son cerveau, montrait des anomalies épileptiques en région temporale, ce qui n'est pas surprenant…

Dans un ordre d'idées voisin, à une époque où les comités d'éthiques n'existaient pas, un neurologue canadien qui travaillait dans un service de neurochirurgie, Wilder Penfield, stimulait le cortex cérébral des patients pendant les interventions. L'avenue qui passe devant l'Université McGill à Montréal porte aujourd'hui son nom. L'excitation des régions temporales supérieures gauches et droites provoquait des souvenirs auditifs dans la moitié des cas et musicaux précis dans un quart des cas comme l'air de *Rolling along together*…

d'autres éléments de preuve. Les expériences d'écoute « dichotique » consistent à faire entendre simultanément à un sujet des signaux sonores différents d'une oreille à l'autre. Goodglass et Calderon en 1977 à Boston ont ainsi envoyé à des musiciens des séries différentes de trois chiffres chantés. Il est apparu que les sujets se souvenaient mieux des *chiffres* présentés à droite et donc recueillis par le lobe temporal gauche et ses systèmes de décodage des sons et du langage ; les *hauteurs* de notes entendues par l'oreille gauche étaient mieux perçues, car principalement décodées par le lobe temporal et l'hémisphère droit qui a le goût des mélodies.

J'ai demandé un jour à Ivry Gitlis la raison pour laquelle les violonistes placent leur instrument sous l'oreille gauche, se contraignant ainsi à utiliser les derniers doigts de la main gauche, les moins habiles, pour courir sur le manche de l'instrument et former les notes. Après un instant de réflexion, le virtuose est parti d'un grand éclat de rire en me répondant qu'il ne s'était jamais posé la question ! Il est logique de concevoir les instruments de musique de telle sorte que la mélodie soit perçue avec l'oreille gauche et donc décodée par le cerveau droit, surtout lorsque la note doit être « fabriquée » par le musicien comme pour le violon ou l'alto – pour le piano et l'orgue, les claviers sont inversés, avec la mélodie à droite et l'harmonie à gauche, mais, dans ce cas, les notes sont déjà formées et le musicien peut privilégier la dextérité naturelle de ses mains. Ce n'est pas un hasard si la joueuse de guitare de Vermeer de Delft tend l'oreille gauche vers son instrument, sa main droite donne le rythme, ou si la joueuse de luth du bain turc d'Ingres, qui adorait le violon, adopte la même position. Si la mélodie – le piano, la harpe, les premiers violons et les flûtes – est à la gauche du chef d'orchestre et des auditeurs, en revanche, l'harmonie, l'accompagnement, les seconds violons, les violoncelles, les contrebasses, les hautbois et le plus souvent les percussions se tiennent habituellement à droite – sauf avec certains chefs anglais, comme sir Simon Rattle lorsqu'il a dirigé les symphonies de Haydn au festival d'Aix-en-Provence en 2008. Un auditeur non instrumentiste tend l'oreille gauche vers la scène, alors qu'il tendra sans doute la droite vers un orateur politique, sauf s'il fait plus confiance à la « mélodie » du discours qu'à son contenu…

Un son complexe est constitué d'une vibration fondamentale, la plus grave, qui défini sa hauteur, par exemple un do. Il s'y associe d'autres vibrations de moins en moins intenses, plus aiguës, et dont la fréquence est un multiple de la première. Elles constituent les harmoniques et confèrent au son perçu son timbre. Certains, musiciens ou non, sont plus sensibles aux timbres ; d'autres à la vibration fondamentale des sons. Peter Schneider, de l'Université de Heidelberg, a montré avec ses collaborateurs par des techniques d'imagerie par résonance magnétique (IRM) et de magnétoélectroencéphalographie sur plus de trois cents musiciens professionnels, en particulier venus de l'orchestre philharmonique royal de Liverpool, soixante-quinze amateurs et une cinquantaine de non-musiciens une nette corrélation entre le volume et l'activité de la région du lobe temporal qui reçoit les informations auditives (gyrus de Heschl) et ces préférences. Cette zone est plus active à gauche chez les sujets plus sensibles à l'écoute des hauteurs de notes et à droite pour ceux qui privilégient les timbres. De manière générale, elle fonctionne rapidement à gauche et plus lentement à droite.

Schneider établit pour les musiciens une corrélation entre l'instrument choisi et cette habilité : la fanfare des trompettes et percussions ouvre la marche des hypertrophiés du lobe temporal gauche, suivie par les guitares, les flûtes et le piano. Saxophone, violon, alto, violoncelle, cor, tuba représentent les cerveaux droits spécialistes du timbre, en y incluant les chanteurs avec une asymétrie plus marquée pour les bassons, contrebasses, organistes, la chorale des basses et des alti fermant le cortège. Lorsqu'il place ses résultats sur un poster, le chercheur de Heidelberg retrouve presque la disposition de l'orchestre, trombones, clarinettes et chef d'orchestre présentant un lobe temporal plus symétrique et restant au centre, les violons sont moins asymétriques que les autres cordes et proches du centre. Concernant les non-musiciens, Schneider observe que, bien que présentant un moindre développement sur le plan anatomique et fonctionnel de ce segment spécifique du lobe temporal, ils choisissent spontanément un instrument en rapport avec leur spécialisation cérébrale.

Deux tiers des pianistes explorés présentent un lobe temporal gauche prédominant et privilégient la virtuosité et les rythmes complexes ; le tiers restant, plus attaché aux timbres, préfère les morceaux plus lents, les mélodies plus subtiles et les ambiances impressionnistes. Grand galop chromatique de Franz Liszt *versus* Debussy et son clair de lune ? Mireille Besson à Marseille a fait entendre des extraits de *Carmen* en changeant la dernière syllabe ou la dernière note d'un couplet : elle a obtenu, chez les auditeurs, une modification différente de l'activité électrique cérébrale (potentiels évoqués).

Ce que les neurosciences et l'imagerie cérébrale doivent aux Beatles

La firme EMI, Electric and Musical Industries, avec ses fameux studios d'enregistrement d'Abbey Road qui ont donné leur nom à un album des Fab Four, a engrangé de tels bénéfices grâce aux succès du groupe qu'elle a pu investir des fonds dans les travaux de sir Godfrey Hounsfield sur le prototype du scanner cérébral. Le premier appareil prit donc logiquement le nom d'EMI-Scanner et fut implanté en 1972 à l'hôpital Atkinson Morley à Wimbledon, spécialisé dans la neurochirurgie. Allan Comak dans le Massachusetts inventa un procédé similaire d'acquisition des images par rayons X et les deux scientifiques reçurent le prix Nobel de médecine en 1979.

LA MÉLODIE À DROITE, L'HARMONIE À GAUCHE

Actuellement, l'étude du fonctionnement des réseaux d'aires cérébrales repose principalement sur la neuro-imagerie fonctionnelle qui permet la localisation des zones activées lors d'une tâche donnée. L'activité d'un ensemble de neurones se traduit par une augmentation de son métabolisme cellulaire et donc de sa consommation d'oxygène et de glucose, laquelle va demander un apport sanguin accru et une dilatation des vaisseaux de la zone concernée. Le débit sanguin local et la consommation d'oxygène peuvent être mesurés par deux techniques :

— *La tomographie par émission de positons* (TEP ou PET-scan), qui repère de l'oxygène radioactif injecté en solution aqueuse intraveineuse. Elle s'avère de faible résolution spatiale, et ne peut mesurer que des phénomènes relativement lents (60 à 90 secondes) car la radioactivité doit s'accumuler suffisamment longtemps pour être détectable.

— *L'imagerie fonctionnelle par résonance magnétique* (IRMf), qui repère l'hémoglobine qui vient de céder son oxygène et se comporte comme un aimant. Celle-ci présente l'avantage de ne pas comporter de limitation spatiale, de recueillir en quelques secondes un signal et de ne pas présenter de nocivité connue. Sa précision augmente avec la puissance de l'aimant utilisé.

Lawrence Parsons à San Antonio (Texas) n'a pas hésité à placer un pianiste professionnel dans un PET-scan et à lui demander de jouer par cœur, les yeux fermés, le troisième mouvement du *Concerto italien* de Jean-Sébastien Bach : il a noté une activation des aires auditives associatives plus importante à droite (mélodie). En revanche, si on se contente de jouer des gammes, c'est la gauche qui l'emporte, cervelet compris. L'activation du cervelet à gauche se retrouve dans un autre protocole expérimental : quand des musiciens professionnels écoutent des *Chorals* de Bach peu connus dans lesquels ont été glissées des erreurs de rythme, de mélodie (ne portant que sur la voix des soprani) ou d'harmonie (un demi-ton sur une seule voix). Ainsi, l'écoute des mélodies active les aires auditives secondaires surtout à droite, l'harmonie surtout à gauche en débordant vers la région pariétale inférieure et postérieure, le rythme provocant une activation bilatérale prédominant à gauche. À l'arrivée, 80 % des erreurs sont retrouvées par les musiciens...

La mélodie à droite, l'harmonie à gauche : le premier prélude du clavecin bien tempéré avec sa suite régulière d'accords arpégés harmonieux et presque monotones finit-il dans le lobe temporal gauche ? L'enveloppe mélodique, qu'a cru bon de lui ajouter plus d'un siècle après Charles Gounod pour épater son futur beau-père après un repas dominical, sans se douter qu'il deviendrait son célèbre *Ave Maria*, termine-t-elle sa course dans le lobe temporal droit ? Après avoir eu le côté gauche du cerveau endommagé, Maurice Ravel perdit la capacité d'identifier les notes et d'écrire la musique, mais il fut toujours capable d'accorder un instrument et de reconnaître les mélodies et surtout les timbres. Ce qui fournit une piste neurologique pour le célèbre *Boléro* : tempo invariable, mélodie répétitive, mais effets d'orchestration des plus riches et des plus originaux. Par la suite, Ravel composa le *Concerto pour la main gauche* (avec son hémisphère droit intact ?) pour Paul Wittgenstein, le frère du philosophe-logicien, qui avait perdu son bras droit sur le front russe. Clovis Vincent, le père de la neurochirurgie française, voulut l'opérer en décembre 1937, croyant qu'il souffrait d'un hématome cérébral, et le tua.

Le système de reconnaissance musical

L'écoute passive d'un morceau mélodieux s'accompagne de l'activation prévalente du cerveau droit, le cerveau gauche se réveillant dès que l'on cherche à analyser l'œuvre. En revanche, c'est la même région du cerveau, le cortex auditif antérieur et le cortex frontal adjacent, qui s'active lorsque l'on entend une musique ou lorsqu'on imagine l'entendre, c'est le secret de Beethoven, le grand sourd, qui n'entendait que dans sa tête, mais parfaitement, la *Neuvième Symphonie*, ses derniers quatuors à cordes et ses dernières sonates. Dans ces conditions, la question de savoir s'il faut jouer le très célèbre et controversé *la* dièse du premier mouvement de la *Sonate Hammerklavier opus 106* considéré comme une possible erreur de Beethoven est tranchée. Rappelons que cette note n'a aucun sens dans le contexte musical en question et ne peut à la limite que posséder un intérêt dramatique (Dufour) : certains interprètes lui substituent donc un *la* bécarre. Il est désormais certain que Beethoven entendait cette note dans sa tête, ce qui donne raison à Charles Rosen : « J'ai pour ma part joué ce *la* dièse litigieux et continuerai à le faire, explique ce dernier. Il est du devoir moral de l'interprète de choisir la version qu'il juge musicalement supérieure, quelle que soit l'intention clairement écrite du compositeur, mais il est aussi de la responsabilité morale du pianiste de parvenir à se convaincre que le compositeur savait ce qu'il faisait. »

LES HALLUCINATIONS AUDITIVES DE SCHUMANN

Les patients qui souffrent d'hallucinations auditives présentent de même en IRMf une intense activité du cortex auditif, en particulier gauche, au cours de leurs crises, à l'écoute de leurs voies intérieures, tel Robert Schumann, le cerveau rongé par la syphilis : « La nuit de vendredi 17, note Clara Schumann, comme nous étions couchés depuis peu de temps, Robert se leva et écrivit un thème que, selon lui, les anges lui avaient dicté. Cela terminé, il se recoucha et rêva toute la nuit, les yeux toujours ouverts, fixés vers le ciel ; il croyait fermement que des anges planaient autour de lui et lui apporteraient de célestes inspirations, tout cela en une merveilleuse musique ; ils nous souhaitaient la bienvenue et nous convenions avec eux de les rejoindre avant la fin de l'année.

« L'aube se leva et avec elle un terrible changement ! Les accords célestes s'étaient changés en accords démoniaques joints à la plus affreuse musique : et des démons lui affirmaient qu'il serait damné et qu'ils venaient le chercher pour l'entraîner en enfer ; en un mot son état empira jusqu'à une sorte de paroxysme nerveux... Au bout d'une demi-heure environ, le calme revint et Robert crut qu'on lui faisait à nouveau entendre des accords plus agréables, comme pour l'apaiser. Les médecins le remirent au lit et il y passa quelques heures avec plaisir, mais il se releva à nouveau et fit des corrections à son concerto pour violoncelle ; il espérait, de cette façon, soulager en quelque sorte la perpétuelle résonance des sons. » [*Journal de Clara Schumann*, février 1854.]

Qui fait quoi ?

Hervé Platel à Caen a présenté en 1997 une étude en TEP permettant de retrouver des activations significatives spécifiques et différenciées pour chacune des tâches proposées :
– *détection du changement de rythme* : aire de Broca et, dans les profondeurs du lobe temporal, une région nommée l'insula, impliquée dans l'aspect moteur de la parole, les émotions, la douleur, les addictions ;
– *discrimination des timbres* : hémisphère droit surtout (régions frontales supérieures et moyennes) ;
– *hauteur de notes* : hémisphère gauche principalement.

BEETHOVEN ET LE GÉNÉRAL DE GAULLE : MESSAGE CODÉ

Pour Isabelle Peretz, fondatrice avec Robert Zatorre du plus important centre mondial de recherche consacré au cerveau musical, au carrefour des arts, de la psychologie et de la neurologie, le BRAMS (Brain, Music And Sound Research) à l'Université McGill de Montréal, le cerveau musical est une réalité. La musique correspond à une faculté humaine distincte, autonome, mettant en jeu un dispositif neuronal spécifique, isolable dans le cerveau, qu'elle nomme le « système de reconnaissance musical ».

Suivons le chemin emprunté par les premières mesures de la *Cinquième Symphonie* de Ludwig van Beethoven à l'intérieur de ce système, « Pom Pom Pom Pooom, pom pom pom pooom ». À partir de l'entrée auditive vont être analysés :

— *L'organisation mélodique.* L'« enveloppe », le contour de la mélodie, l'air (« Pom Pom Pom Pooom »/*sol sol sol mi* bémol ; « pom pom pom pooom »/*fa fa fa ré*), est décodé à droite, de même que la « mélodie » du langage, la prosodie. L'intervalle entre les hauteurs de notes (« ...Pom/Pooom » *sol/mi* bémol, « ...pom/pooom » *fa/ré*) est, lui, reconnu à gauche. Les musiciens professionnels optent préférentiellement pour cette voie contrairement aux amateurs. La « tonalité », le sens des rapports utilisés entre les hauteurs de notes selon les règles musicales de l'harmonie, n'est pas localisée avec précision.

— *L'organisation temporelle.* Il est normalement plus facile de taper une séquence rythmique (« pom pom pom/ poom ») avec la main droite (cerveau gauche), alors que la main gauche est mieux capable de battre la mesure (en l'occurrence à deux temps, quatre croches par mesure) en marquant les temps forts (cerveau droit). Le rythme brève-brève-brève-longue, « pom pom pom pooom », peut s'écrire • • • –, soit la lettre V en morse. Comme le V de la Victoire !

Le message crypté, habilement utilisé par le général de Gaulle sur les ondes de Radio Londres lorsque les premières mesures de la *Cinquième Symphonie* inauguraient ses discours, « Le Français parlent aux Français », était décodé par l'hémisphère gauche des résistants comme le V de la victoire, alors que les nazis n'entendaient par leur hémisphère droit que la mélodie et le rythme martial de Ludwig Van, prêts pour une séance d'ultra-violence comme le héros du film *Orange mécanique*...

Musique et plasticité cérébrale

Franz Joseph Gall n'est pas simplement celui à qui on doit l'invention de la phrénologie ; il est aussi l'un des premiers à avoir pressenti la notion de plasticité cérébrale. Il était persuadé que le cerveau pouvait évoluer en fonction des interactions extérieures – ce qui implique, au passage, que la phrénologie n'est pas fataliste et qu'elle ne va pas, malgré les apparences, dans le sens de la prédestination.

LE CERVEAU DES MUSICIENS À L'ŒIL NU

Si l'hypertrophie de certaines circonvolutions cérébrales chez les musiciens n'est pas visible par l'observation ou la palpation d'un crâne comme le pensait Gall, elle est pourtant bien réelle et peut se voir à l'œil nu au niveau d'un cerveau, ou de son empreinte sur la face interne des os du crâne. On a noté ainsi, dès sa découverte en 1894, l'empreinte de volumineux lobes temporaux sur les os du crâne supposé de Jean-Sébastien Bach. L'anatomiste Auerbach a étudié au début du XXe siècle le cerveau de musiciens, en particulier celui du célèbre acousticien Helmholtz et celui de Hans von Bülow, premier chef de l'orchestre philharmonique de Berlin en 1887 et premier mari de Cosima, la fille de Franz Liszt, qui le quitta pour Richard Wagner. Il a pu constater un accroissement du volume de la partie supérieure du lobe temporal, en particulier des aires auditives primaires.

Même résultat anatomique en faveur de la région temporale supérieure pour Dorothée Belheim-Schwarzbach qui, en 1974, compare macro- et microscopiquement les cerveaux d'un violoniste compositeur, d'un linguiste musicien amateur, d'un artisan, d'un homme politique, d'un industriel et d'une femme de Nouvelle-Guinée… et pour le neuro-anatomiste japonais Hideomi Tuge qui, en 1975, n'hésite pas à constituer un atlas en soixante-dix planches avec le cerveau de son épouse pianiste, décédée d'un cancer du foie !

Le neurologue Gottfried Schlaug a étudié des imageries par résonance magnétique (IRM) de musiciens et ses mesures volumétriques ont montré que le corps calleux, responsable de la communication entre les deux hémisphères cérébraux, est plus développé chez les instrumentistes de sexe masculin (facteur hormonal ?) ayant débuté tôt leur apprentissage musical, ainsi que le cervelet, impliqué en particulier dans la coordination des mouvements et la mémoire des gestes. Il signale également une extension du volume du cortex moteur primaire, responsable de l'activation des muscles, et surtout une plus grande symétrie de ce dernier, tendant à égaliser la dextérité de chaque main pour les joueurs d'instruments à clavier. La courbure de la partie moyenne du sillon central situé en arrière du cortex moteur est accentuée et forme un oméga bien visible sur les images. Les joueurs d'instruments à cordes présentent un plus fort développement de la représentation motrice de la main gauche et le « signe de l'oméga » ne sera visible que sur l'hémisphère droit.

À L'ÉCHELLE NEURONALE ET FONCTIONNELLE

En 1940, le Canadien Donald Hebb émet l'idée, dans son traité sur l'organisation des comportements, que deux cellules nerveuses ou neurones activés ensemble renforcent leur connexion (synapse) de sorte que l'activation en sera plus facile à l'avenir. C'est la théorie de l'efficacité synaptique, qui permet de comprendre à l'échelle cellulaire les possibilités d'apprentissage et de mémorisation. D'une manière générale, l'entraînement modifie le nombre de neurones impliqués, leur degré de synchronisation temporelle et le nombre et la force des connexions synaptiques excitatrices mais aussi inhibitrices. En outre, on sait que des lésions précoces du cortex occipital chez de jeunes mammifères, dans la zone dévolue à la réception des informations visuelles, entraînent le détournement d'une partie de ces dernières vers le cortex auditif, permettant aux neurones initialement spécialisés dans le décryptage des sons de devenir capables d'analyser les contours visuels, aboutissant à une connexion des voies optiques avec le cortex auditif, comme s'il était alors possible de « voir » le tonnerre.

Chez l'homme plus précisément, il est désormais démontré par imagerie cérébrale que des lésions précoces peuvent détourner l'analyse de l'information visuelle vers le cortex auditif chez des sourds ou de l'information auditive vers le cortex visuel chez des aveugles. Les aveugles de naissance n'utilisant pas le cortex occipital pour la vision, des études en PET-scan ont établi que ce dernier va pouvoir être « colonisé » par le lobe temporal. Il va s'étendre vers l'arrière, permettant l'amélioration compensatoire des capacités auditives, de meilleures capacités dans la localisation spatiale des sons, et fournissant une explication aux dons musicaux souvent rencontrés chez les non-voyants comme « Blind Tom ». Le lobe pariétal va également profiter de ce territoire vacant et partir à sa conquête, permettant un développement prodigieux du sens du tact (avez-vous déjà essayé de lire un texte en braille ?). Ray Charles, aveugle à sept ans des suites d'un glaucome, pouvait ainsi apprécier la beauté des femmes par le toucher. Le film *Ray* de Taylor Hackford en témoigne : on y voit « the Genius » caresser en esthète l'avant-bras de nombreuses admiratrices.

APPRENDRE, PRATIQUER, ÉCOUTER

La plasticité du cortex auditif permet l'apprentissage de la musique qui sera d'autant plus facile dans l'enfance, comme l'apprentissage d'une langue étrangère. Les animaux entraînés présentent une meilleure organisation de leur cortex auditif primaire pour la discrimination ses sons (tonotopie) et la simple exposition à un environnement acoustique enrichi augmente les réponses auditives corticales, affinant le « réglage » des neurones auditifs même pour des sons nouveaux, aussi bien pour les animaux jeunes que plus âgés et pour une durée de plusieurs jours[2].

Emmanuel Bigand, à Dijon, a montré avec Barbara Tillmann, de Hanovre, qu'une simple exposition répétée aux œuvres musicales semble suffire pour développer une expertise auditive sophistiquée en l'absence de toute forme d'apprentissage explicite. Il en conclut que, grâce à la plasticité neuronale, chacun peut potentiellement devenir un expert dans son domaine de prédilection, même s'il demeure incapable d'expliquer les structures qu'il perçoit : « Si tel est bien le cas, note-t-il, les habiletés musicales du grand public seraient alors très injustement sous-estimées dans notre société. »

En magnétoencéphalographie, Pantev et son équipe ont retrouvé une augmentation de la surface de la zone de représentation des tons de l'échelle musicale chez des musiciens expérimentés, corrélée à l'âge du début de la pratique musicale. La surface pour les notes de différents timbres est également plus vaste en fonction du timbre de l'instrument pratiqué entre un groupe de violonistes et de trompettistes.

Après un entraînement de six mois par la célèbre méthode Suzuki, des enfants de quatre à six ans présentent des réponses au son du violon plus larges et plus précoces[3]. L'IRM fonctionnelle a montré une réorganisation bilatérale au niveau de la partie supérieure des lobes temporaux permettant la discrimination entre des fréquences sonores très proches (entre de 950 et 958 hertz) chez la moitié des sujets après seulement cinq séances d'entraînement sur une semaine[4].

Des expériences de stimulation magnétique permettant d'apprécier l'excitabilité du cortex cérébral montrent également une extension de la zone correspondant aux doigts les plus utilisés pour la pratique de l'instrument chez les musiciens professionnels, en particulier pour l'aire des quatrième et cinquième doigts de la main gauche chez les violonistes, permettant une dextérité de plus en plus fine. Malheureusement, dans certains cas de surmenage chez des personnalités le plus souvent anxieuses et perfectionnistes, l'extension de la zone est telle que les circuits moteurs s'embrouillent, aboutissant à une sorte de *bug* neuronal et à la perte du contrôle des activités motrices dans une tâche spécifique : c'est la terrible crampe des musiciens. Robert Schumann, qui voulait devenir le Paganini du piano, inventa un instrument de torture (le « fabriquant de cigares ») qui lui liait les troisième et quatrième doigts de la main droite pour tenter de s'en défaire alors qu'il composait sa *Toccata opus* 7. Il ne parvint qu'à se mutiler gravement et dut renoncer à sa carrière de pianiste virtuose pour se consacrer entièrement à la composition, pour notre plus grand bonheur. Malgré sa grande complexité, et à titre de consolation, certains virtuoses ont remarqué que la fameuse *Toccata* peut se jouer sans le majeur droit !

Si le nombre de neurones, la substance grise, augmente dans certaines régions du cerveau des musiciens, la gaine conductrice qui les entoure, la substance blanche, va également se développer sous l'influence de la pratique d'un instrument. Sara Bengtsson et ses collaborateurs de l'institut Karolinska de Stockholm ont utilisé une technique très sophistiquée d'imagerie par résonance magnétique, la « tractographie », qui permet de « voir » les faisceaux neuronaux. Ils ont publié dans la revue *Nature Neuroscience* en 2005 leurs constatations : la pratique intensive du piano améliore le fonctionnement des neurones moteurs qui véhiculent les informations du cortex cérébral vers la moelle (faisceau pyramidal) chez l'enfant, développe les connexions entre les hémisphères cérébraux (corps calleux), y compris chez l'adolescent, et même, ce qui est

Tout dans les mains ?

Frédéric Chopin, d'après le professeur Renzo Mantero, spécialiste de la chirurgie de la main, s'est plaint dans une lettre sur la fin de sa courte vie d'avoir un gros nez et un quatrième doigt impotent : il nous montre des moulages des mains du pianiste qui permettent de constater effectivement la présence d'un quatrième doigt grêle et d'un index très développé. L'étude des partitions confirmerait la sous-utilisation du doigt paresseux.

Rachmaninoff, lui, pouvait étendre sa main sur treize intervalles de notes. Paganini, atteint d'une maladie génétique qui augmentait l'élasticité de ses tissus, pouvait contrôler jusqu'à la courbure de ses phalanges et littéralement tordre ses doigts en Z.

Django Reinhardt poursuivit sa carrière de guitariste virtuose après avoir perdu trois doigts, brûlés dans l'incendie de sa roulotte. Liszt donna un concert éblouissant sans se servir d'un doigt qu'il venait de s'entailler en se rasant. Quant à Mozart, certains pianistes sont parfois impressionnés par l'apparente simplicité de ses partitions, mais déchantent bien vite quand ils s'aperçoivent qu'elles sont en fait écrites pour des mains possédant six doigts !

encourageant, conserve un effet dopant chez l'adulte sur un faisceau de neurones qui connecte les centres impliqués dans la réception (aire de Wernicke) et la production du langage (aire de Broca) le faisceau arqué.

LE SECRET DE L'OREILLE ABSOLUE

L'oreille absolue est cette possibilité que possède 1 personne sur 10 000 d'appréhender le moindre son musical sans l'aide d'un son de référence contrairement à l'oreille relative. Cette capacité remarquable présente des variations culturelles vraisemblablement liées à la langue. On remarque, en effet, les performances supérieures des Asiatiques qui possèdent une langue « tonale » où le sens d'un mot peut varier selon le ton employé. Un ami ingénieur qui travaillait à Hanoï a ainsi involontairement scandalisé sa secrétaire vietnamienne : il croyait lui demander où déguster une bonne soupe et son intonation approximative laissait à penser qu'il recherchait une prostituée !

On sait par une étude en magnétoencéphalographie (Schneider) que le volume de la substance grise de l'aire auditive primaire est plus important chez les musiciens de 130 %. L'oreille absolue s'accompagne également d'une hypertrophie d'une partie du lobe temporal gauche, le planum temporal, qui jouxte l'endroit où arrivent les voies auditives au niveau du cortex cérébral après leur long et tortueux chemin depuis l'oreille interne. Sur un échantillon de 1 156 musiciens professionnels, elle est présente chez 95 % des instrumentistes ayant débuté leur apprentissage avant quatre ans, contre seulement 5 % pour ceux qui ont commencé après douze ans, ce qui souligne la part non négligeable de l'apprentissage dans l'acquisition de ce merveilleux outil.

Robert Zatorre à Montréal a étudié l'activation du débit sanguin cérébral dans les aires auditives des sujets présentant l'oreille absolue. Elle est associée à l'activation simultanée d'une zone frontale gauche proche de l'aire de Broca. Tout se passe comme si l'audition de la note activait également sa dénomination par l'intermédiaire d'un circuit reliant directement le planum temporal et les régions proches de l'aire de la production du langage. Au contraire, l'oreille relative implique un recours à la mémoire de travail et à l'activation de zones frontales bilatérales. Pour les Australiens Allan Snyder et Terry Bossomaier, la capacité à développer une oreille absolue existerait chez tous, mais serait inhibée au cours de la première année à l'occasion de l'apprentissage du langage, ce qui pourrait expliquer la fréquence de l'oreille absolue chez les autistes musiciens et chez les enfants élevés dans une ambiance musicale, assimilée à un langage.

DES BIENFAITS DE LA MUSIQUE

Il existe donc une adaptation structurale et fonctionnelle du cerveau par la pratique prolongée de la musique et cette activité mentale est capable, comme le souligne le neurologue Michel Habib, de « modifier l'organe qui l'a créé » à la fois sur le plan anatomique dans les régions impliquées dans le contrôle moteur du geste lié à la pratique instrumentale ou dans les fonctions de perception auditive, mais aussi par des effets plus généraux sur la plasticité cérébrale, accroissant les capacités d'apprentissage dans d'autres domaines chez les musiciens, surtout les plus jeunes (avant sept ans).

Après la Seconde Guerre mondiale, une expérience d'envergure a d'ailleurs été effectuée en Hongrie dans les lycées, sous l'impulsion du compositeur Zoltan Kodaly. Une moitié des élèves suivait un cursus normal pendant que l'autre moitié bénéficiait d'une formation musicale très renforcée, tant au niveau de l'écoute que de la pratique. Au bout du compte, les musiciens s'illustraient par leurs résultats supérieurs non seulement en musique, mais également dans l'ensemble des matières, des mathématiques aux langues. Ces données ont été confirmées récemment pour la mémoire immédiate des chiffres, l'aptitude à la lecture de mots complexes et la sensibilité accrue aux changements de hauteur dans la parole, pour les habiletés temporo-spatiales, les mathématiques, la lecture, la prosodie de la parole, la mémoire verbale et l'intelligence générale.

Chan et ses collaborateurs ont ainsi testé soixante étudiantes de l'Université chinoise de Hongkong, dont trente avaient au moins six ans d'entraînement à un instrument de musique occidental avant l'âge de douze ans, les autres n'avaient jamais étudié la musique. Sur une liste de seize mots présentés trois fois, les musiciennes se rappelaient en moyenne de 16 % de mots de plus que les autres. On sait aussi de façon certaine aujourd'hui que la stimulation magnétique transcrânienne augmente de manière plus importante la plasticité cérébrale dans les aires motrices des musiciens par rapport à des non-musiciens, comme l'ont démontré Karin Rosenkranz et ses collaborateurs de l'Institut de neurologie de Londres, ce qui suggère des possibilités d'apprentissage moteur en général facilitées par la pratique intensive de la musique. Stewart, lui, a montré qu'en entraînant pendant trois mois des adultes non musiciens à l'association entre la position de cinq notes sur la portée et le geste moteur correspondant des doigts d'une main sur le clavier, on obtenait un effet d'apprentissage sous la forme d'une activation de la région pariétale supérieure droite du cerveau, responsable entre autres de la vision dans l'espace. L'entraînement selon un protocole semblable, couplant cette fois la notation musicale et le rythme, active la partie interne du lobe temporal droit appelée gyrus fusiforme, habituellement impliquée dans la reconnaissance des lieux et des visages. Outre les régions pariétales, l'aire de Broca, impliquée dans la production du langage, est activée lors du déchiffrage des partitions par des musiciens d'orchestre[5].

Musique et langage partageraient certains processus communs et Michel Habib et Mireille Besson pensent qu'en améliorant certains des processus impliqués dans la perception de la musique, il serait possible d'améliorer la perception de la parole et les capacités de lecture. L'entraînement musical pourrait ainsi être utile dans la dyslexie et les troubles du langage chez l'enfant. À l'autre extrémité de la vie, la plasticité cérébrale, bien qu'émoussée, persiste, y compris au début de la maladie d'Alzheimer et pourrait également bénéficier des effets de la musique.

Lutter contre le vieillissement par la musique ?

« Les expériences vécues ne sont pas stockées dans le cerveau, elles changent simplement la manière dont nous percevons, agissons, pensons et planifions. Cet effet est assuré par un changement physique de la structure des circuits nerveux qui participent à la perception, l'action, la pensée et la planification. »

N. R. CARLSON.

Le vieillissement pathologique, en particulier le drame de la maladie d'Alzheimer, constitue manifestement un traumatisme, tant pour la personne atteinte que pour son entourage. Peut-on espérer au moins temporairement enrayer cette trajectoire négative par un processus dynamique, envisager un déclin « résilient » par le biais d'interactions tardives parmi lesquelles la musique jouerait un rôle ?

VIE ET MORT DES NEURONES

Nous avons pu apprécier, avec l'exemple du cerveau musical, l'importance de la plasticité cérébrale. Elle reflète les possibilités d'adaptation et de modification fonctionnelle des réseaux de cellules nerveuses. Elle témoigne jusque dans le vieillissement de la possibilité d'un processus de construction qui ne cesse de tenter de résister aux attaques biologiques, psychologiques et sociales, permettant des phénomènes compensatoires limitant la détérioration neuronale.

Au cours du développement d'un cerveau humain, les dix-huit milliards de neurones qui le constituent prolifèrent, migrent, se différencient. Ils forment des arborisations, les dendrites, pour recevoir les messages d'autres neurones, et communiquent avec eux par un prolongement, l'axone, la synapse assurant la jonction entre les cellules. Toutefois, dès le début du développement, on retrouve, comme lors du vieillissement cérébral, des processus de mort neuronale, de perte dendritique, axonale et synaptique. La moitié des neurones meurent pendant la phase de prolifération et de migration, tandis que la moitié des neurones restant disparaissent pendant la phase des connexions neuronales chez le fœtus !

Pendant longtemps, on a cru que la prolifération de nouveaux neurones était impossible chez l'homme après la phase initiale de croissance. Il ne nous restait plus qu'à envier les poissons qui continuent de produire des neurones dans leur cerveau toute leur vie, les canaris dont les centres régulateurs du chant s'enrichissent de nouveaux neurones vers la fin de chaque hiver en prévision des roucoulades printanières ou encore les rongeurs qui régénèrent leurs neurones olfactifs en totalité toutes les six à huit semaines et bénéficient d'une importante production de nouveaux neurones dans une zone clé pour la mémoire : le « gyrus denté » de l'hippocampe, à la partie interne du lobe temporal… Jusqu'à ce qu'une neurogenèse dans cette même zone, impliquée en priorité dans la mémoire épisodique et victime des premières attaques de la maladie d'Alzheimer, soit confirmée aussi chez l'homme.

LE RÔLE DE L'ENVIRONNEMENT

On se souvient des enfants des orphelinats roumains dont cette zone du lobe temporal interne était atrophiée en imagerie cérébrale et qui ont pu reprendre un développement normal par la suite tant sur le plan anatomique que psychologique. De façon plus générale, un environnement stimulant favorise la plasticité cérébrale, diminuant même le risque de démence. Yang et ses collaborateurs ont ainsi retrouvé par des techniques de fluorescence chez des patients morts de maladie d'Alzheimer que certains neurones de l'hippocampe en particulier commençaient à reprendre une vie cellulaire, une activité mitotique, c'est-à-dire à dupliquer leur matériel génétique et donc à se reproduire peu avant la mort.

Dans le vieillissement physiologique normal, malgré la perte dendritique et synaptique, une plasticité est encore longtemps possible, avec des phénomènes compensatoires de repousse dendritique et d'augmentation de la taille de la surface des synapses, le neurone lésé pourrait envoyer des signaux suscitant la formation de nouvelles synapses en provenance de ses afférences (*sprouting*). Le neurologue Mesulam, de Chicago, fait même l'hypothèse que, dans la seconde moitié de la vie, on assisterait à une sorte d'hyperplasticité neuronale, sorte de baroud d'honneur en réponse aux phénomènes régressifs débutants, la maladie d'Alzheimer n'apparaissant que lorsque ces mécanismes adaptatifs sont débordés. Hof et ses collaborateurs ont retrouvé dans la région hippocampique de sujets présentant un stade de démence avancé une majorité de neurones (jusqu'à 70 % !) dans un état encore viable.

Nous avons appris l'influence positive de la pratique intensive du piano sur la substance blanche du cerveau dans l'article de Bengtsson cité plus haut ! En 2007, une équipe de l'Université catholique de Rome, fondation Don Gnocchi (cela ne s'invente pas !), a montré dans l'hippocampe de souris qui avaient écouté de la musique six heures par jour pendant trois semaines une augmentation de la concentration d'une protéine neurotrophique cérébrale et des capacités accrues d'apprentissage.

Au cours de l'existence, certains de nos circuits cérébraux se sont trouvés renforcés en raison de leur utilisation préférentielle, ils en ont gardé la trace en mémoire, consolidant les compétences. Au contraire, ceux qui n'étaient pas utilisés se sont affaiblis, ou ont été éliminés, réduisant la diversité des ressources adaptatives. On a découvert chez l'animal dans l'hippocampe des synapses dites « silencieuses », car elles ne génèrent aucun signal après excitation, et on suppose que le même phénomène pourrait survenir chez l'homme, avec l'âge. Serait-il possible de réactiver ces synapses fonctionnelles devenant silencieuses et inefficaces et de les réactiver notamment grâce à la musique ?

CHAPITRE 2

De la musique avant toute chose ?

Deuxième mouvement : pastorale

(Romanze, Andante)

« Sans la musique, certains d'entre nous mourraient. »
P. QUIGNARD, *Boutès*.

En 1973, Leonard Bernstein donne une série de conférences à Harvard qui défrayent la chronique. Inspiré par la théorie linguistique générative de Noam Chomsky, il analyse la musique occidentale tonale comme s'il s'agissait d'une langue, avec sa grammaire et sa syntaxe, allant jusqu'à trouver des analogies entre les mots, les verbes, les thèmes et les rythmes musicaux. Dès l'année suivante, l'Institut de technologie du Massachusetts, le célèbre MIT, organise un séminaire sur musique et langage aboutissant en 1983 au livre du musicologue Fred Lerdahl et du linguiste Ray Jackendoff *Une théorie générative de la musique tonale*. Les deux auteurs utilisent des procédures formelles permettant une description structurelle de compositions musicales, mais restent sceptiques sur une possible comparaison entre la syntaxe musicale et linguistique : « Mettre en exergue des analogies superficielles entre la musique et le langage, avec ou sans l'aide de la grammaire générative, est un jeu ancien et très futile. » Cette réserve ne décourage pas les chercheurs qui continuent à s'affronter sur un thème déjà abordé par Platon – le philosophe constatait dans la *République* le pouvoir de certains modes musicaux, analogue à celui de nobles discours pour élever l'esprit.

Pourquoi la musique ? Pourquoi le langage ?

Musique et langage utilisent des sons, des tons, des rythmes, une mélodie (prosodie pour le langage), des timbres ; ils obéissent à une syntaxe, ont une signification, déclenchent des émotions. Pourtant, malgré quelques ressemblances, les différences sont de taille : pourriez-vous demander à quelqu'un d'aller vous chercher le journal par la musique seule, en dehors bien entendu d'une convention préalable dans le style d'un leitmotiv wagnérien ? En dehors de quelques orateurs charismatiques, et de cet état hautement pathologique provoqué par le sentiment amoureux et ses dérèglements humoraux, est-il possible, par le langage, de déclencher autant de frissons qu'avec la musique ?

Dans de nombreuses sociétés de tradition orale, chants et langage entrent dans la même catégorie. La voix peut être chuchotée ou criée, rythmée comme dans le rap, imiter des instruments de musique et *vice versa*. Dans son *Pierrot lunaire*, Arnold Schönberg utilise le « parlé-chanté », le *Sprechgesang*, récitation à mi-chemin entre la déclamation parlée et le chant, inventé par le compositeur allemand Engelbert Humperdinck, auteur de l'opéra *Hansel et Gretel* et lui-même influencé par Wagner et son musicolangage. Le *spoken word* des poètes de la Beat Generation et de Bob Dylan, le slam et le rap en dérivent. Pour autant, dans son livre *Music, Langage, and the Brain* (2008), Aniruddh D. Patel, de l'Institut des neurosciences de San Diego, n'hésite pas à conclure, sur de multiples arguments, en faveur d'une sélection naturelle ayant abouti à l'apparition du langage, contrairement à la musique. Il cite le « babil » qui survient spontanément chez tous les enfants vers l'âge de sept mois, y compris les sourds, et les aide à établir un lien entre les mouvements de la bouche et les sons perçus. Il établit un lien avec le « préchant » des oisillons et l'apprentissage du langage des signes chez les enfants sourds qui comporte également une phase similaire. Son deuxième argument est l'évolution de la position anatomique du larynx : sa situation plus basse libère la langue et permet la parole, au risque de fausses routes alimentaires, contrairement aux autres primates qui peuvent manger et respirer en même temps.

L'apprentissage vocal n'existe que chez peu d'espèces, en particulier les oiseaux, les perroquets et les cétacés. Les humains sont les seuls primates capables d'un apprentissage d'une telle complexité, les singes pouvant tout au plus acquérir quelques mots sans nécessairement saisir le concept associé. La possibilité d'apprentissage des phonèmes et des syllabes semble innée. Les enfants sélectionnent ceux qui sont utilisés dans leur langue maternelle et perdent la sensibilité aux autres. Comme pour les oiseaux, il existe une période critique pour l'acquisition du langage. L'apprentissage est rapide. Passé la puberté, il sera difficile de maîtriser une seconde langue sans accent.

Doit-on estimer alors que la musique est dépourvue de sens, un accident de l'évolution ne représentant tout au plus qu'une cerise sur le gâteau (un « cheesecake auditif » comme le dit le psychologue de Harvard Steven Pinker qui pense que « l'esprit est un ordinateur neuronal produit par la sélection naturelle ») ? Doit-on, au contraire, envisager, puisque la musique est universelle et ne résulte pas de l'évolution, qu'elle existait avant le langage et donner raison à Paul Verlaine ?

Phylogenèse

Il est difficile de donner une définition de la musique. Celle du dictionnaire d'Oxford est anthropocentrique : « L'art ou la science de combiner les sons de la voix ou des instruments en visant la beauté ou la cohérence formelle et l'expression des émotions. » Il s'agit donc avant tout d'un art, don des muses, mais d'un art combinatoire, d'une science consistant à arranger et ordonner les sons (mais aussi les silences) au cours du temps, le rythme étant le support de la combinaison temporelle, la hauteur et le timbre celle de la combinaison fréquentielle, la mélodie celle de la succession des sons de hauteurs différentes, l'harmonie celle de la superposition de sons simultanés.

De telles productions existent-elles dans la nature en dehors de l'homme ? N'est-il pas permis de parler de la musique d'un ruisseau, du chant du vent ? Le rossignol a-t-il attendu Verlaine pour chanter, « célébrant l'Absente » d'un poème saturnien ? Le cygne a-t-il attendu Wagner et *Lohengrin* ? Et les baleines à bosse ? Et les chorus des gibbons qui avaient déjà retenu l'attention de Darwin dans son ouvrage sur la filiation de l'homme et la sélection liée au sexe – « Nous avons, notait-il, de bonnes raisons de penser que l'homme possède la capacité de produire et sans doute d'apprécier les notes musicales, comme les gibbons, depuis très longtemps, le chant et la musique sont des arts très anciens » ? Avant de rejoindre nos plus proches parents, nous allons nous pencher sur ces ténors du règne animal que sont les oiseaux et les baleines qui, sans doute gênés sur le plan visuel par l'ombre des feuillages ou l'obscurité des grandes profondeurs, ont su développer un système de communication sonore d'une grande virtuosité.

LE CHANT DES OISEAUX

« Les oiseaux sont les plus grands musiciens de la planète. »

MESSIAEN.

Les oiseaux sont, après les mammifères, les vertébrés dont l'encéphale est le plus développé par rapport à la taille de l'animal. Les ornithologues nomment « chants » l'ensemble des sons vocaux émis par les oiseaux en vue de communiquer, qu'ils roucoulent comme la colombe ou la tourterelle, piaulent comme l'albatros, tirelient comme l'alouette, croassent, coucoulent, gloussent, jasent, titinent, zinzibulent, jabotent, pépient, sifflent, gazouillent, caracoulent, piaillent, jacassent, picassent, peupleutent, cacabent, ou caquettent !

Sur vingt-trois ordres d'oiseaux, seuls trois – les trochiliformes, les passeriformes et les psittaciformes – possèdent la capacité d'apprendre leurs vocalises, les autres ne reproduisant les sons que de façon innée. Ce sont les mâles qui chantent en général, le plus souvent au printemps, sous l'influence de la testostérone, pour séduire les femelles ou pour marquer et défendre leur territoire. On sait que les canaris enrichissent leur cerveau de quelques neurones supplémentaires dévolus à la musique vers la fin de l'hiver, et c'est bien là une des rares occasions dans la nature au cours desquelles une montée d'hormone mâle va accroître les capacités intellectuelles d'un individu.

Le répertoire peut comporter des chants précis pour certaines situations et évoluer en fonction de la saison des amours. Certains couples chantent en duo ; pour d'autres, les mâles cessent de chanter une fois l'âme sœur trouvée… ou s'ils sont castrés. Les cœurs solitaires chantent plus fort et plus longtemps, tel le perroquet ou le mainate en cage, stressé, qui tente de pactiser avec son geôlier en imitant son langage (syndrome de Stockholm ?). Chaque population dispose de ses chants propres, mais chaque individu possède son empreinte vocale, et son aptitude à chanter s'affine en vieillissant. Les oisillons réagissent instinctivement aux cris d'alarme des parents et peuvent même distinguer des cris différents suivant les menaces.

Formation, entraînement et pratique

Le chant est appris à l'écoute des oiseaux de la même espèce d'une manière qui rappelle l'acquisition du langage humain. En tout premier lieu, l'apprentissage n'est possible qu'au cours d'une période critique en dehors de laquelle toute tentative sera infructueuse. Au cours des premières semaines, l'oisillon ne réussit à produire que quelques vocalises discordantes, un « préchant » analogue au babil des humains. Progressivement, le chant va se structurer en fonction des influences reçues, en particulier de l'accent et du dialecte de l'entourage, permettant la consolidation ultérieure des liens familiaux et de voisinage, ce sont les « premiers mots ». Si l'oiseau est isolé à ce moment-là, il ne pourra pas apprendre à chanter normalement, tel l'enfant sauvage qui n'apprendra jamais à parler. Si on lui propose plusieurs écoles de chant possibles en le soumettant aux vocalises d'espèces différentes, il reconnaîtra et choisira celle de sa famille, bien qu'il puisse emprunter quelques éléments à d'autres. S'il est élevé par une autre espèce, il va garder la syntaxe de la sienne en empruntant des éléments du « vocabulaire » de l'autre, inventant une sorte de sabir. Dans un environnement favorable, il termine sa formation après quelques semaines supplémentaires avec un chant structurellement stable « cristallisé » comme un langage élaboré, et qui entraîne également une activation de l'hémisphère gauche. La nuit, des travaux d'imagerie cérébrale ont montré que l'oiseau endormi continue d'activer les régions du cerveau impliquées dans le chant.

Les étourneaux qui possèdent un dialecte par famille continuent toute leur vie d'enrichir leur répertoire avec tous les sons qui leur plaisent, imitant d'autres oiseaux, des grenouilles et même, d'après l'acousticien Antonio Fischetti, auteur de la merveilleuse *Symphonie animale*, des objets comme une tronçonneuse ou une cloche d'église, ce qui s'apparente bien à un véritable processus créatif. Certaines lésions cérébrales peuvent altérer la qualité du chant lors de la période d'apprentissage et n'avoir que peu de conséquences sur le répertoire si elles surviennent chez l'adulte, ne portant aucun préjudice si la maturité sexuelle est déjà acquise.

Les chants d'oiseaux, comme les mots d'une phrase, sont divisés en syllabes. Leur durée varie de quelques microsecondes à plusieurs dizaines de secondes et leur complexité est très diverse. Des lésions spécifiques peuvent altérer la structure des notes plus que leur agencement correct dans une syllabe, une autre structure serait responsable de l'ordre correct des syllabes dans une chanson. La classification des diverses sortes d'amusies chez les oiseaux pourrait ainsi fournir de nombreuses heures d'occupation à un neurologue retraité.

Les oiseaux adaptent leur chant à l'environnement. Si la réverbération est importante, par exemple en forêt, ils utilisent des notes longues entrecoupées de silences pour que le message reste clair, n'hésitant pas à le répéter de nombreuses fois. À l'inverse, l'alouette des champs qui monte haut dans le ciel n'est pas gênée par la réverbération et peut enchaîner les trilles et les notes à en rendre jaloux Vivaldi. En ville, les oiseaux transposent leurs chants dans l'aigu pour se distinguer des bruits du trafic routier ou chantent tôt le matin avant les heures de pointe, appauvrissant leur chant pour le réduire à l'essentiel, sans ornementation.

Les oiseaux possèdent un organe vocal, la syrinx, dont l'anatomie leur permet parfois de produire deux notes simultanément, tel un satyre jouant de la diaule. En présence d'un rival de la même espèce, notre ténor peut tenter de le décontenancer en l'imitant mais aussi, plus souvent, en montrant toute l'étendue de son registre, multipliant les fioritures au point d'arriver à lui faire croire par une sorte de tyrolienne que plusieurs concurrents sont en face de lui, tel Jean-Sébastien Bach avec sa célèbre *Chaconne* : l'exécution de cette pièce pour violon seul d'une grande virtuosité, qui comporte des alternances rapides de notes de hauteurs et de rythmes différents, donne en effet l'illusion à l'auditeur d'entendre deux, voire trois violonistes à la fois. C'est ce qu'on nomme la bistabilité auditive.

Certains oiseaux peuvent émettre plus de quarante notes par seconde (« trop de notes, mon cher Mozart »), mais sont capables de distinguer des sons séparés d'un millième de seconde (« Sire, pas une de trop ! »). La femelle canari sera séduite par un haut-parleur diffusant un chant d'amour de son espèce et lui présentera sa croupe, allant même jusqu'à ovuler si le chant est complexe, rapide, et de grande virtuosité, tout en redoublant d'ardeur pour la construction du nid. Un compagnon muet à ses côtés n'aura pas ses faveurs. Elle se mettra à chanter si on lui injecte de la testostérone !

Sous les tropiques, des duos se forment. Les amoureux monogames égrènent leur chant marital l'un après l'autre, se synchronisant parfois, surtout si le couple est ancien. De nombreuses espèces d'oiseaux possèdent l'oreille absolue et reconnaissent les fréquences sonores associées à des récompenses bien mieux qu'un groupe humain témoin, mais les performances s'inversent pour l'oreille relative, les hommes reconnaissant facilement un air transposé dans un autre ton contrairement aux oiseaux.

Le professeur Irène Pepperberg étudie les capacités d'imitation des perroquets. Elle a constaté que certains, par apprentissage, arrivaient à communiquer avec les chercheurs, pouvant employer des mots spécifiques, exprimer leurs désirs, distinguer les concepts d'« identique » et de « différent », compter, identifier des objets, des couleurs, des

L'ambiguïté de la représentation

La bistabilité auditive est l'équivalent acoustique des images doubles chères à Dali, dans lesquelles on peut voir par exemple tantôt le buste de Voltaire, tantôt un marché aux esclaves. Ces images doubles ont également intrigué le philosophe Ludwig Wittgenstein avec son lapin-canard ou le(s) cube(s) de Necker.

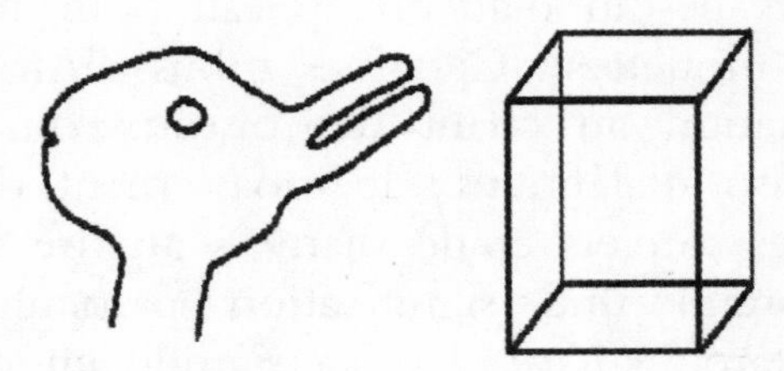

Si vous fixez le cube, vous allez voir alternativement soit un cube avec une face antérieure en bas et à gauche, soit un autre cube avec une face antérieure et en haut et à droite.

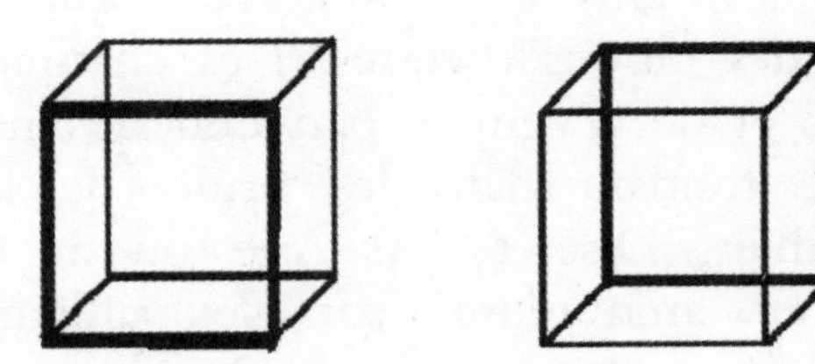

L'explication tient dans le fait que le cerveau ne peut être attentif qu'à une seule chose à la fois, même s'il passe très rapidement d'un cube ou d'un sujet à l'autre. Le cerveau des mouches fonctionne à l'identique et les spécialistes de l'attention conseillent de tenter de les attraper avec trois doigts écartés plutôt qu'avec une tapette unique sur laquelle peut se concentrer l'insecte…

formes. Les oiseaux « indicateurs » guident les blaireaux, mais aussi les hommes en Afrique et en Asie, vers l'emplacement des nids d'abeilles, en échange de quelques gâteaux de cire. Les hommes ouvrent les ruches alors que les blaireaux font fuir les abeilles par leur odeur pestilentielle.

Quand l'homme fait l'oiseau

Les hommes ont appris à reconnaître les vocalisations des oiseaux et à les imiter, parfois à l'aide de leurres, les appeaux, pouvant ainsi les attirer pour les chasser ou les observer tel Boris Cyrulnik à l'île de Porquerolles (lequel n'a d'ailleurs besoin d'aucun appeau pour imiter les goélands et les mouettes). Certaines tribus d'Afrique attribuent une signification au chant des oiseaux qui peuvent être bénéfiques ou maléfiques : le croassement du corbeau, le complice des sorciers et de mauvais augure sous toutes les latitudes, prend une signification particulière pour les Yansi du Zaïre : « *Kwa, kwa !* » signifie en effet dans leur langue : « Meurs, meurs ! » Et si le pic crie : « *Kiolo kiokiok !* », ils entendent : « Oh beau-père, donne-moi une autre femme ! »

Des langues sifflées existent aux quatre coins du monde pour des raisons diverses. Des chasseurs d'Amazonie, du Népal et des Pygmées parviennent ainsi à communiquer en se fondant dans les bruits de la forêt sans effrayer le gibier. Discrète en Asie ou au Mexique, la communication amoureuse par le sifflement permet l'obtention d'un rendez-vous ; en Occident, sur la Canebière, elle est tapageuse, le plus souvent masculine et… habituellement inopérante.

Certains bergers des Pyrénées et des Canaries (La Gomera) conversaient encore récemment à distance par la langue que les Turcs de Kuskoy nommaient le « langage des oiseaux ». Le silbo de l'île volcanique de La Gomera est l'équivalent sifflé de l'espagnol des Canaries réduit à deux voyelles et quatre consonnes. La portée des sifflements peut atteindre 8 à 10 kilomètres. La ligne mélodique de la phrase, courte, simple et répétée est respectée. Le professeur Manuel Carreiras de l'Institut de neurosciences

Communiquer en musique

Aux XVIIe et XVIIIe siècles, des automates ont été créés pour reproduire le chant des oiseaux, en particulier à Leipzig dans la société savante fondée par Lorenz Mizler, un élève de Jean-Sébastien Bach. Préoccupé par la pensée d'élever la musique à la dignité d'une science philosophique, proche des idées de Leibniz, Mizler se fait appeler Pythagore et réussit à réunir autour de lui, outre le célèbre Cantor, Haendel, Telemann et même Leopold Mozart, le père de Wolfgang. La société s'intéresse également à la langue des Sélénites, les habitants de la Lune étant censés s'exprimer en musique selon l'évêque anglais Francis Godwin, auteur de *The Man in the Moon* en 1638 – Cyrano de Bergerac confirmera ses dires une vingtaine d'années plus tard… Signalons que Steven Spielberg, dans *Rencontres du troisième type*, reprend l'idée en imaginant une communication avec des extraterrestres au moyen d'un code musical et rappelons que Tim Burton, dans son film pastiche *Mars Attacks*, fait exploser le cerveau des Martiens avec une chanson country de Slim Whitman *Indian Love Call*…
Deux siècles après Mizler, Olivier Messiaen se passionnera à son tour, tel saint François d'Assise qu'il chantera, pour la musique de nos frères ailés, messagers des dieux. Le compositeur arpente dès l'aube les forêts du monde entier pour noter les chants des oiseaux qu'il retranscrit selon son inspiration en catalogues : chocard des Alpes, merle bleu, chouette hulotte, alouette lulu, bouscarle, merle de roche, buse variable, fauvette des jardins, oiseaux exotiques… La Fondation Yvon-Lambert à Avignon lui rend hommage avec une bande sonore de l'artiste Louise Lawler intitulée *Birds Call* : vous pensez tout d'abord entendre des chants d'oiseaux, puis une écoute attentive vous permet de discerner des noms d'artistes prononcés très vite et de façon très aiguë : Beuys, Buren, Gilbert et George, Anselm Kiefer, Schnabel, Cy Twombly, Warhol…

cognitives de Londres a montré en imagerie cérébrale fonctionnelle que les aires habituelles du langage sont impliquées chez les siffleurs confirmés, contrairement aux sujets témoins qui écoutent le silbo. Il confirme ainsi l'adaptation possible des zones du langage du cerveau humain (Broca et Wernicke) à un large éventail de signaux de communication, les mêmes zones sont par exemple également activées dans le langage par signes des sourds.

LE CHANT DES BALEINES À BOSSE

Si les cachalots émettent des clics sur un rythme qui signe l'identité de chaque individu, si le dauphin possède un sifflement qui lui est propre et lui permet de saluer courtoisement un compagnon de rencontre en imitant son sifflement, lui montrant ainsi qu'il reconnaît sa signature, seules les baleines à bosse chantent vraiment, comme les oiseaux et les hommes. Toutefois, elles le font en apnée ! Elles n'ont qu'une dizaine de notes à leur disposition, audibles par l'homme, dans les graves entre 30 et 4 000 hertz. Elles durent d'une à quelques secondes, peuvent être modulées vers l'aigu ou vers les graves et être émises avec un niveau sonore plus ou moins important.

Les baleines peuvent combiner ces notes à loisir en phrases qui durent de dix à vingt secondes, répétées pendant deux à quatre minutes pour former un thème, les différents thèmes s'enchaînant à leur tour sur plusieurs dizaines de minutes pour former un chant, véritable oratorio, composé d'une dizaine d'airs, toujours répétés dans le même ordre, avec des rimes (favorisant la mémorisation ?) et parfois repris plus de deux cents fois, pendant des heures, voire une journée entière, y compris lorsque la baleine remonte à la surface pour respirer !

Seuls les mâles chantent, le plus souvent en période de reproduction, mais les femelles ne paraissent pas systématiquement attirées par leurs arpèges, qu'ils produisent à plus de cent cinquante décibels et restent audibles à une vingtaine de kilomètres à la ronde ! En outre, il existe un « canal acoustique » surtout fréquenté par les rorquals bleus, à une centaine de mètres sous la surface de la mer. Les ondes sonores qui y circulent, en raison des effets contradictoires de l'augmentation de pression et du refroidissement de l'eau, peuvent filer sur plusieurs milliers de kilomètres, d'un bout à l'autre de l'Atlantique. Le tube à la mode peut donc être diffusé comme dans une émission radiophonique et repris par toute une population baleinière sur une même partie du globe, à ceci près que les baleines ne synchronisent pas leur chant et hurlent au milieu d'une belle cacophonie, qui évoque une cour de récréation. Les cétacés échappent donc à la mondialisation, les succès différant selon les lieux et les populations, même s'ils conservent leur même structure en poupées russes.

La baleine musicienne

Avec le temps, le chant d'une baleine évolue, comme une langue qui dérive. La hauteur ou la puissance de certaines notes peuvent se modifier rapidement, de mois en mois, au gré des improvisations (compositions ?) et de l'imitation d'autres populations rencontrées, jamais par accident ou dans un but informatif semble-t-il. Des modifications apparaissent sur les phrases, les thèmes. Certains disparaissent, d'autres apparaissent. À un moment donné, l'ensemble des chanteurs décide des modifications adoptées, des thèmes abandonnés, modifiés, ou des nouveautés acceptées. Les modifications les plus importantes surviennent au milieu de la saison des amours et ne résultent donc pas d'un oubli des succès de l'année précédente. Pour Katherine Payne, ces changements représentent un exemple d'évolution culturelle chez un animal non humain. La nouveauté permettrait au compositeur de se distinguer, en particulier au regard des dames, à condition de ne pas trop s'éloigner du standard initial, puis de lancer une nouvelle mode, si ses trouvailles sont rapidement recopiées par les autres mâles jaloux de son succès.

Le chant des baleines semble donc représenter un comportement social flexible, doté d'une signification tant pour les auditeurs que pour les chanteurs, contribuant au marquage de territoire et au classement hiérarchique entre les mâles à la saison des amours. Il faut une dizaine d'années pour qu'un chant soit complètement modifié. En revanche, le chant de l'appel aux repas n'évolue pas : « À table » ; il ne dure que cinq à dix secondes et déclenche le regroupement des baleines en vue de l'attaque des bans de poissons, lesquelles semblent parfois reconnaître ce signal.

Les baleines peuvent être assourdies par les clics des sonars utilisés pour explorer les fonds marins. Ceux-ci peuvent atteindre deux cents décibels et l'autopsie de baleines échouées dans les jours suivant des exercices de sonars de la marine américaine a montré des lésions auditives. Pour ultime information, les chants des baleines sont partis dans l'espace sur les disques d'or des sondes Voyager, avec Beethoven, Bach, Mozart et Chuck Berry…

DES CHŒURS DE SINGES AU CHANT CHORAL

> « Triste est le chant des gibbons dans les trois gorges de Pa-Tung.
> Après trois appels dans la nuit, les larmes coulent sur les vêtements du voyageur. »
>
> Chanson chinoise du IVe siècle.

Les chants des gibbons, qui émouvaient les anciens Chinois, sont les mêmes qui intriguent Darwin et l'amènent à penser que le chant et la musique existent et sont probablement appréciés depuis très longtemps, tant par les hommes que par leurs cousins gibbons, les grands singes préférant plutôt communiquer par gestes et mimiques faciales.

Les gibbons vivent dans les forêts tropicales humides de l'Asie du Sud-Est, pèsent de cinq à dix kilos et se déplacent par « brachiation », c'est-à-dire en s'accrochant aux branches avec les bras. Ces derniers sont très longs et maintenus en l'air même lorsque le singe marche sur le sol. Les gibbons sont monogames, ce qui est inhabituel chez les mammifères (3 % des espèces) et se livrent à de bruyantes vocalisations matinales en duo, d'une durée de dix à quinze minutes en moyenne, parfois plus d'une heure. Les chants sont stéréotypés, innés et spécifiques d'une espèce.

Les mâles entonnent tout d'abord quelques petites phrases musicales qui se complexifient progressivement, avec de plus en plus de notes et de modulations. Au bout d'un moment plus ou moins long, la femelle se lance dans un grand appel qui est spécifique à son espèce – habituellement, une série de notes tenues longtemps qui deviennent ensuite plus aiguës avec un tempo qui s'accélère. Pendant ce temps, le mâle se tait, puis propose une « coda » au grand appel avant de reprendre en les résumant ses petites phrases du début. Le cycle est en général répété plusieurs fois. Pendant le grand appel, l'un ou parfois les deux partenaires se livrent à quelques acrobaties, secouent les branches et présentent des manifestations émotionnelles, en particulier une pilo-érection. Les chants sont innés, et une femelle élevée par une mère adoptive d'une autre espèce émettra un grand appel hybride bien qu'elle n'ait jamais entendu celui de son espèce.

La signification du chant, comme pour les duos d'oiseaux, semble être le renforcement des liens du couple. Les adolescents solitaires chantent cependant plus tôt, plus souvent et plus fort. Le chant sert aussi de signal de reconnaissance au sein d'un groupe, joue un rôle pour indiquer la localisation de nourriture et éloigne les intrus, y compris les léopards. Il retentit en cas de danger, dure alors plus longtemps et peut s'entendre à un kilomètre. Par la modification de la longueur et de la combinaison des syllabes du chant habituel du mâle, le grand appel de la femelle restant identique mais retardé, il apporte des précisions sur le type de prédateur à craindre et engendre une réponse comportementale adaptée. Les gibbons n'ont des chants d'alarme que pour les animaux terrestres (léopard, serpent). Les singes vervets qui, comme leur nom ne l'indique pas, possèdent un scrotum bleu vif, possèdent, eux, au moins trois cris d'alarme différents selon que le danger arrive du ciel (rapace), du sol (léopard) ou des arbres (babouin). Les congénères prévenus vont respectivement se cacher dans les fourrés, grimper dans les arbres ou rester aux aguets en se campant sur leurs pieds.

Les macaques, aussi, chantent en chœur. Christopher Petkov et ses collaborateurs de l'Institut Max-Plank de Tübingen ont publié dans la revue *Nature* une étude en IRM fonctionnelle. Elle objective une région du cortex auditif qui s'active préférentiellement pour les vocalises de l'espèce et permet de les reconnaître ; elle se situe au niveau du planum temporal. Les régions du lobe temporal gauche antéro-supérieur présentent d'ailleurs également une augmentation de leur métabolisme en PET-scan plus importante que le droit dans les mêmes conditions d'écoute des vocalises spécifiques de l'espèce. Cette asymétrie disparaît si l'on sectionne les voies de communication entre les deux hémisphères (commissurotomie). Cette activation dans des régions analogues à celle du langage chez l'homme ne relève pas d'une modification dans la détection élémentaire des sons, mais plutôt d'une réorganisation fonctionnelle de plus haut niveau dans le décodage des sons. Elle incite à penser qu'un ancêtre commun aux macaques et à l'homme qui vivait il y a vingt-cinq à trente millions d'années pouvait déjà posséder la possibilité d'une spécialisation des futures aires de Broca et de Wernicke pour le langage.

Izumi (2000) a montré que des macaques japonais étaient capables de distinguer des intervalles de sons consonants et dissonants. Fischman retrouve dans ces conditions une activation neuronale qualitativement différente dans le cortex auditif des singes. Si un enfant humain préfère dès l'âge de deux mois les sons consonants, les singes n'en ont cure. Dans une cage en forme de V, avec un haut-parleur de chaque côté, des singes tamarins choisiront dans un premier temps le côté le moins bruyant s'il existe une différence significative de volume sonore entre les deux enceintes. Ils se répartiront au hasard, à volume égal, entre les côtés diffusant des accords consonants ou dissonants[1], contrairement aux oiseaux, et choisiront encore le côté silencieux même si l'autre branche diffuse du Mozart. Les singes trouvent les mélodies tonales plus faciles à retenir que les mélodies atonales, mais ont souvent déjà été exposés à la musique tonale en captivité. Ils reconnaissent comme les enfants humains une musique lorsqu'elle est transposée d'une ou deux octaves.

Nos ancêtres chanteurs

Pour le zoologue allemand Thomas Geissmann l'ancêtre le plus probable du chant humain n'est pas celui des oiseaux, mais l'« appel » des gibbons qui, dans une perspective évolutionniste, crée et renforce le lien social. Les groupes les plus soudés auraient survécu grâce à la musique. On en retrouverait les traces de nos jours chez les humains dans les hymnes nationaux, la musique militaire, les chants des supporters dans les stades et toute musique fédératrice, y compris dans le chant choral où la voix humaine est le premier des instruments. Au commencement était le chant.

Ontogenèse

On dit que l'ontogenèse, qui décrit le développement progressif d'un organisme depuis sa conception, résume la phylogenèse qui étudie la formation des organismes vivants en vue d'établir leur parenté. L'enfant est-il musicien avant de pouvoir parler ? Naissons-nous musiciens ? Françoise

Dolto écrit : « Pour qu'un enfant gitan devienne musicien, on décidait que, pendant les six dernières semaines avant sa naissance et les six premières semaines de la vie de cet enfant, tous les jours, le meilleur musicien d'un instrument irait jouer pour lui auprès de la mère enceinte, puis accouchée et allaitante » : plus tard, paraît-il, l'enfant désirait jouer de cet instrument et y excellait.

LE FŒTUS ET LES SONS

Qu'il est bon de retourner dans la « grotte utérine » que Boris Cyrulnik nous avait fait visiter dans son livre *Sous le signe du lien*, la décrivant comme « sombre, chaude parfumée et sonore ». Au départ, le fœtus flotte dans le liquide amniotique et n'a que des sensations tactiles, ne percevant que les vibrations à la surface de son corps en formation, comme un poisson. Les hautes fréquences sont filtrées par l'abdomen maternel, malgré le développement progressif de sa cochlée dans un premier temps. Il s'imprègne des rythmes du battement du cœur et de la respiration de sa mère qu'il perçoit faiblement. Étape suivante : les conduits auditifs étant obstrués, seule la perception auditive par conduction osseuse fonctionne, comme pour un mammifère marin, comme avant la transformation des petits os de la mâchoire du reptile en oreille moyenne.

Le bébé réagit aux sons venus de l'extérieur à partir de la trentième semaine par des mouvements, une accélération de son rythme cardiaque. Il peut identifier la voix maternelle et saura reconnaître son rythme, ses intonations. Cette expérience prénatale lui permettra de la reconnaître parmi d'autres dès la naissance. S'il est attentif à la prosodie de la lecture maternelle d'une histoire déjà entendue pendant la grossesse, il gardera tout de même une préférence pour la voix telle qu'elle était perçue dans le bain utérin, avec ses filtres et en conduction osseuse, véritable empreinte dans ses souvenirs intra-utérins. Des chansons et des musiques pourront être mémorisées, par exemple l'air du basson de *Pierre et le loup* qui symbolise le grand-père et dont la fréquence basse à 1 000 hertz est dans le spectre audible du fœtus. Plus tard, cette musique le calmera s'il pleure, lui ouvrira les yeux s'il les tenait fermés. Plus tard aussi, il partagera les goûts musicaux et les émotions de sa mère, témoignant d'une sensibilité aux morceaux entendus pendant la grossesse, qu'il a pu apprécier et reconnaître même *in utero*.

LE BÉBÉ MÉLOMANE

L'exposition prénatale aux stimulations acoustiques a donc des effets structuraux et fonctionnels sur le système auditif, permettant la familiarisation avec la voix maternelle et sa prosodie, des chants, des musiques, un système tonal, une langue. À la naissance, après le premier cri, l'oreille externe et l'oreille moyenne deviennent fonctionnelles, permettant la conduction aérienne et l'avancée des explorations auditives. Si l'on agite un objet sonore dans l'obscurité, le bébé pointe la main dans la bonne direction. Le nouveau-né est très sensible aux caractéristiques rythmiques, tonales, mélodiques et même temporelles des séquences sonores musicales ou du langage qu'il reconnaît avec précision. Selon Jenny Saffran du Wisconsin, les bébés auraient même tous l'oreille absolue. En général, un petit est plus stimulé par les sons graves que par les aigus.

Le bébé occidental préfère les sons consonants, en particulier les accords de cinquième (*do-sol*) qu'il a sans doute déjà entendus pendant la grossesse. Il préfère écouter une voix chaleureuse plutôt que neutre, sa langue maternelle plutôt qu'une langue étrangère et se délecte plus des chansons qui lui sont adressées, sans doute plus émouvantes que les discours. Les berceuses maternelles se ressemblent de par le monde, chansons douces, de tempo lent, répétitives, avec des phrases de tonalité descendante. Les mères adoptent spontanément un rythme plus marqué et plus lent, une tonalité plus haute ; elles chantent avec plus d'émotion et d'affection pour leur bébé que lorsqu'elles chantent seules[2]. « La mélodie, dit Arveiller, est la sublimation de la berceuse maternelle. »

Entre quatre mois et six mois et demi, l'enfant est sensible à la structure de la phrase musicale et à ses articulations[3]. Il écoute plus longtemps des menuets de Mozart dans lesquels des silences ont été incorporés entre les phrases musicales que si ces dernières sont hachées par des coupures intempestives. Pour lui, le silence qui suit un morceau de Mozart est encore du Mozart. Il repère l'abaissement de la hauteur du son final, l'augmentation de sa durée, l'intervalle d'octave. Le même phénomène est observé avec le flux linguistique à partir des informations apportées par la prosodie, en particulier maternelle. Il reconnaît désormais non seulement l'intonation mélodique mais également le timbre de la voix maternelle, plus apaisante que le son d'un hochet ou que la vision d'un visage humain, soulignant combien son univers sonore est avant tout affectif et humain.

LE BÉBÉ CHANTEUR

Parallèlement, le nourrisson affirme rapidement ses talents vocaux. En moins de trois semaines, il compose au moins quatre cris fondamentaux : faim, colère, douleur, frustration et se révèle déjà machiavélique avec son « faux cris de détresse » visant à attirer l'attention de sa mère pour interagir avec elle, formant la base de la première « réaction circulaire » décrite par Piaget. Bientôt surviendront les gazouillis dont les tonalités universelles vont moduler, comme une musique, en fonction de ce que veut exprimer le bébé. Tel le chant printanier du canari, ils vont traduire un état affectif et signer l'apparition des voyelles « a », « e » et « ou », permettant d'affiner les

« conversations » et les jeux vocaux avec la mère, la découverte de sensations phonatoires et de leur substrat physiologique. À quatre mois, l'enfant peut varier ses vocalises et prononce vers vingt semaines, pour la plus grande joie de l'entourage, son célèbre « arheu, arheu ». Les gazouillis sont identiques pour tous les bébés du monde, y compris les sourds, ce qui en fait un langage universel et inné.

Entre deux et six mois survient le babillage, tout autant musique que langage, et dont le délai d'apparition varie en fonction des caractéristiques de la langue. Le contrôle progressif du diaphragme et du larynx, la maîtrise des mouvements fins de la langue et des lèvres vont permettre vers six mois l'articulation des premiers sons syllabiques, répétés inlassablement : « a-ta » « ma-ma-ma-ma » « pa-pa-pa », qui combleront de bonheur les heureux élus, mais n'auront véritablement de signification que vers le dixième mois. Comme l'explique la psychosociologue Dana Rappoport : « La répétition est la voie d'accès royale à la langue. S'il existe des phénomènes universels, ce sont bien ceux des phonèmes, de la vocalisation et de la répétition. Ce qui n'a rien d'universel, c'est le sens que l'on va mettre sur ces phonèmes que l'enfant répète… Les vocalises d'un bébé sont influencées par les sons qu'il a perçus *in utero* […], il est déjà imprégné de la musique de la langue maternelle. Mais il est loin de la conquête du sens : il parle encore une langue commune à tous les bébés du monde, celle de la vocalisation. Le mythe de la tour de Babel vient de là. Il se réfère à l'âge d'or d'une humanité qui ne connaissait qu'une langue[4]. » Il faudra attendre la trente-deuxième semaine pour que le bébé réagisse à l'appel de son nom.

La mère répète jusqu'à ce que son enfant l'imite, puis elle l'imite à son tour, mais, comme pour le chant des baleines, pour éviter la baisse d'intérêt liée à la monotonie, elle glisse de subtiles variations, des ornementations dans son discours, des *abelimenti* comme les castrats de la chapelle Sixtine. Ainsi, elle stimule l'éveil émotionnel de son enfant par ces alternances de détente (répétition) et de tension (variation), comme en musique galante, le tout habituellement souligné d'une subtile chorégraphie, la mère joignant le geste à la parole, un hochement de tête, un sourire, une caresse qui s'accélère, puis se ralentit. Les chansons alternent de même refrain et couplets, les sonates mouvements rapides et mouvements lents.

La berceuse de Mozart

Le *do* qui s'échappe du piano s'envole et grossit comme une bulle de savon qui en contiendrait d'autres à l'intérieur, comme des poupées russes. La première bulle extraite, le premier harmonique est également un *do*, une octave plus haut ; la troisième bulle harmonique est aussi un *do*, deux octaves plus haut. Le deuxième harmonique, en revanche, est un sol. Acoustiquement, le *sol* est donc le plus proche parent du *do* et le *do* est constitué d'un peu de *sol*. Dans la tonalité de *do* majeur, le *do* est appelé la « tonique ». C'est la note la plus basse et la plus stable de la tonalité choisie.
Mozart s'éloigne de la « tonique », du *do*, naturellement attiré par sa plus proche parente, le *sol*, qualifiée pour cette raison de « dominante ». Pour créer un peu de tension et s'éloigner le plus simplement possible de ces notes sœurs et consonantes, il choisit ensuite de monter d'un ton et de gagner le *la*, revenant tout de suite à la dominante, le *sol*, pour s'y reposer un instant. Dans une deuxième partie symétrique, il va regagner progressivement la base sécure de la tonique sur laquelle il va s'arrêter, après avoir progressivement lâché de la pression avec des notes descendantes. Chaque note sera répétée deux fois, rassurant l'auditeur qui, ne possédant pas nécessairement l'oreille absolue, reconnaîtra à chaque fois la note qu'il vient d'entendre et sera tranquillisé par la comptine de Wolfgang :
do-do-sol-sol-la-la-soool/fa-fa-mi-mi-ré-ré-dooo : « Ah ! Vous dirais-je maman ! »
Mozart aurait pu également caresser la « sensible », le *si*, qui l'aurait également ramené à la tonique. Remarquez également la répétition à l'identique du rythme entre les deux parties parfaitement symétriques :

• • • • • • – / • • • • • • –

RÉPÉTITION-VARIATION

On trouve un bon exemple de répétition du thème dans la romance de la *Petite musique de nuit.* Les reprises (« carrures ») divisent la phrase musicale en parties égales, symétriques, ici de quatre mesures. Les variations mozartiennes dans ce cadre imposé se font à l'aide d'ornementations, de modulations rythmiques, mélodiques, harmoniques du thème que le compositeur entoure parfois de rubans de croches, intercalant ailleurs des arpèges. Dans un autre morceau de Mozart, le pianiste Jean-François Zygel, avec son enthousiasme et sa sagacité habituels, retrouve six thèmes différents dans le premier mouvement de la *Sonate n° 12 en fa majeur*, écrite à Paris en 1778 : lyrique, joyeux, tourmenté, naïf, rythmique et religieux, les cadences et la coda ponctuant la fin du mouvement comme des points-virgules ou des points. Ailleurs, la tension pourra provenir d'un silence soudain, au milieu d'une phrase, avant le retour à la tonique, ou d'une variation brutale de volume comme dans l'ouverture de *Don Giovanni*, de la reprise d'un thème majeur en mineur, du retard d'un rythme... Joseph Haydn, dans sa *Symphonie n° 94 en sol majeur* dite *La Surprise* et composée à Londres en 1792, s'y prend autrement, mais avec le même objectif en vue : il expose calmement au début du deuxième mouvement un thème très simple, enfantin, et le répète dans un passage pianissimo, puis surprend l'auditoire d'un coup de timbale inattendu associé à un accord *fortissimo* de tout l'orchestre avant de revenir à cinq variations sur la mélodie initiale.

Un doux repos longtemps attendu

Le premier accord de l'opéra *Tristan et Isolde* de Richard Wagner (*fa-si-ré* dièse-*sol* dièse) a rendu perplexes des générations de musiciens, inaugurant le temps des « accords vagues » qui créent une tension dont le cheminement vers leur « résolution », la détente, peut emprunter de nombreux chemins. Seule la toute dernière mesure de l'œuvre, qui dure plus de quatre heures, est un accord parfait, marquant l'apaisement enfin trouvé des héros dans « le doux repos, l'ultime consolation », apportés par la mort à la fin du *Liebestod*, le chant d'amour funèbre d'Isolde.

Cette structure temporelle en répétition-variation rappelle donc les premiers échanges préverbaux entre le bébé et sa mère. Pour Michel Imberty, elle représente « la structure originaire, prototypique de toute une série d'expériences affectives et cognitives ultérieures dont la musique ne fera que réactiver ou représenter les réalités profondes[5] ». Le psychologue Daniel Stern – à ne pas confondre avec le nom de plume de Marie d'Agoult, la compagne de Liszt ! – parle, lui, d'« accordage affectif, de résonance émotionnelle, d'enveloppe proto-narrative ». Et Michel Imberty de conclure : « L'ancrage de la vie à ses débuts dans l'univers sonore, dans la durée, le rythme, le temps et le mouvement est ce qui fonde l'universalité de la musique, comme expression de la subjectivité humaine. »

La musique est-elle apparue avant le langage ?

ARGUMENTS ANTHROPOLOGIQUES

Steven Brown, Björn Merker et Nils Wallin affirment dans leur livre sur les origines de la musique qu'il n'est pas impossible que nos lointains ancêtres aient été des hominidés chantants avant d'être des humains parlants. Peut-être, comme le pensaient Plutarque et Lucrèce, se sont-ils en effet d'abord mis à chanter pour imiter les oiseaux. La flûte retrouvée dans la grotte de Divje Babe en Slovénie en 1995, au même niveau que des outils néandertaliens, est peut-être le plus ancien instrument de musique du monde. Taillée dans le fémur gauche d'un ourson il y a quarante-trois mille ans, elle est perforée de quatre trous sur sa face postérieure, dont deux sont entiers, et d'un autre sur l'avant, dont les bords réguliers n'évoquent pas les morsures d'un carnivore, mais plutôt une intervention humaine. Kunej et Turk ont réussi à reconstituer l'instrument et à en jouer : les sons obtenus diffèrent selon que l'on souffle longitudinalement ou transversalement, comme dans une flûte à bec ou une flûte traversière, mais s'étendent surtout dans le registre de la voix humaine, permettant l'accompagnement de chants primitifs, ce qui n'est pas sans rappeler la description laissée par Cook d'un de ses voyages chez les Indiens de Polynésie. Plus récemment, l'étude de Daniel Everett sur les Piraha, petite tribu de l'Amazonie brésilienne, a établi que ce peuple parle encore aujourd'hui la plus simple des langues connues, sept consonnes et trois voyelles, qu'ils peuvent siffler, communiquant ainsi lors des chasses en forêt. Ils ne connaissent pas les nombres ni même le concept de calcul, ils ne possèdent pas de vocabulaire spécifique pour désigner les couleurs, ils ne dessinent pas et ils n'ont pas de mythe de création. Leur histoire s'arrête aux expériences qu'ils ont vécues, leurs relations sociales ne dépassent pas la cadre de la fratrie, leurs activités artistiques se bornent à fabriquer quelques colliers et figurines, mais ils pratiquent abondamment la musique sous la forme de chants.

Les Polynésiens à l'époque du capitaine Cook

« Les flûtes et les tambours sont les seuls instruments de musique qu'ils connaissent. Les flûtes sont faites d'un bambou creux, d'environ un pied de long... elles n'ont que deux trous, et par conséquent que quatre notes, avec lesquelles ils ne semblent avoir composé jusqu'ici qu'un air. Ils appliquent à ces trous l'index de la main gauche et le doigt du milieu de la droite. Ils ont un expédient pour mettre à l'unisson les flûtes qui jouent ensemble ; ils prennent une feuille, qu'ils roulent et qu'ils appliquent à l'extrémité... ils la raccourcissent ou ils l'allongent ; comme on tire les tuyaux des télescopes, jusqu'à ce qu'ils aient trouvé le ton qu'ils cherchent, ce dont leur oreille paraît juger avec beaucoup de délicatesse. » « Le musicien a soufflé dans le trou avec l'une des narines à la place de la bouche, tandis qu'il a bouché l'autre narine avec le pouce. Quatre chanteurs ont accompagné les instruments avec un rythme parfait. Pendant tout le concert, ils n'ont répété qu'une seule mélodie. »

ARGUMENTS LINGUISTO-GÉNÉTIQUES

Les recherches sur la préhistoire du langage parlé s'aident de corrélations linguisto-génétiques, les langages évoluant par des voies parallèles à celles des races définies en termes de génétique et connaissent les mêmes mécanismes de différenciation et de diversification[6]. Il peut, bien sûr, exister des contaminations transversales par le biais d'envahisseurs ou d'immigrants, mais, en général, la barrière linguistique constitue un facteur d'isolement limitant les échanges interraciaux.

Les premières langues

Selon Hérodote, le pharaon Psamtik au VIIe siècle avant J.-C. aurait isolé deux nouveau-nés jusqu'à ce qu'ils prononcent leur premier mot : *bekos*, soit « pain » en phrygien, cette langue anatolienne, la langue d'Ésope, devenant ainsi la langue initiale. Plus de vingt siècles plus tard, en 1786, sir William Jones, qui vit en Inde britannique, repère des affinités entre le sanskrit des hindous, le perse, le grec, le latin et le gothique. Il reconstitue ainsi l'indo-européen, ancêtre commun à la plupart des langues européennes et d'Asie occidentale et centrale. Près de la moitié de la population mondiale utiliserait des langues dérivées de ce dernier, né il y a six mille ans sur les bords de la mer Noire ou en Asie Mineure. Son prédécesseur commun avec d'autres superfamilles parallèles remonterait à quinze mille ans, le nostratique, lequel aurait engendré, outre l'indo-européen, l'altaïque (turc et mongol), le dravidien (Inde du Sud), l'uralique (finnois et samoyède), l'afro-asiatique (arabe et berbère) et des langues du Caucase. Les archéolinguistes ont tenté d'en reconstituer quelques centaines de mots : des objets, des parties du corps, le soleil et la lune, des animaux, des pronoms personnels. Ils en ont tiré des conclusions sur ses utilisateurs : des chasseurs-cueilleurs qui ne connaissaient pas l'agriculture, mais avaient des animaux domestiques, en particulier des chiens.

D'autres supersuperfamilles comme le déné-(sino-)caucasien, l'amérindien, le proto-australien, l'austro-asiatique, le thaï, l'austronésien, le congo-saharien pourraient tous descendre d'une langue originelle, parlée il y a environ trente-cinq mille ans, dont on a pu reconstituer deux cents mots[7], soit dix mille ans après la fabrication de la flûte (enchantée) des néandertaliens.

Tous les types d'ADN mitochondriaux actuels peuvent être suivis jusqu'à leur origine commune et dériveraient d'une seule séquence ancestrale africaine datant d'environ cent cinquante mille à deux cent mille ans. Les migrations *out of Africa* seraient survenues à cette période, aboutissant à plusieurs branches dont l'une aurait donné les Européens et les populations sino-japonaises. Les hommes de Neandertal ont coexisté au Proche-Orient et en Europe occidentale avec *Homo sapiens sapiens* avant d'être rapidement éliminés il y a environ trente-cinq mille ans, sans doute en raison d'une technologie et d'une culture moins avancées, peut-être d'un langage moins élaboré et, pourquoi pas, d'un adoucissement des mœurs par la musique des flûtes ancestrales.

ARGUMENTS ANATOMIQUES

Si la comparaison des langues existantes et la génétique ont permis l'exploit de la découverte d'une langue initiale, de sa datation, et de proposer quelques éléments de son vocabulaire, n'est-il pas possible, en observant simplement un cerveau humain de l'extérieur, d'y déceler quelques indices sur l'évolution des moyens de communication interhumaine ?

Nous avons, au chapitre précédent, suivi le cheminement des informations auditives jusqu'au *lobe temporal de l'encéphale*. On peut considérer que la moitié postérieure du cerveau permet l'arrivée et l'analyse des informations sur le monde captées par les sens, le *lobe occipital* en arrière étant dévolu à la vision et le *lobe pariétal* en haut recevant le tact. Si le cerveau ressemble à un piano, sa partie postérieure correspond donc au clavier, organe sensoriel touché par les doigts du pianiste. La partie antérieure, le *lobe frontal*, représente le mécanisme qui va transmette l'information reçue par les touches du piano aux petits marteaux qui vont aller frapper les cordes en fonction des directives du pianiste. Elle est séparée de l'arrière par le sillon central, ou sillon de Rolando, et permet en retour d'agir sur le monde de façon adaptée, en fonction des expériences mémorisées : c'est le siège des fonctions « exécutives » qui permettent, par exemple, l'utilisation d'outils. Cette partie du cerveau s'est considérablement développée il y a deux millions d'années avec l'apparition de la première espèce du genre *Homo*, *Homo habilis*.

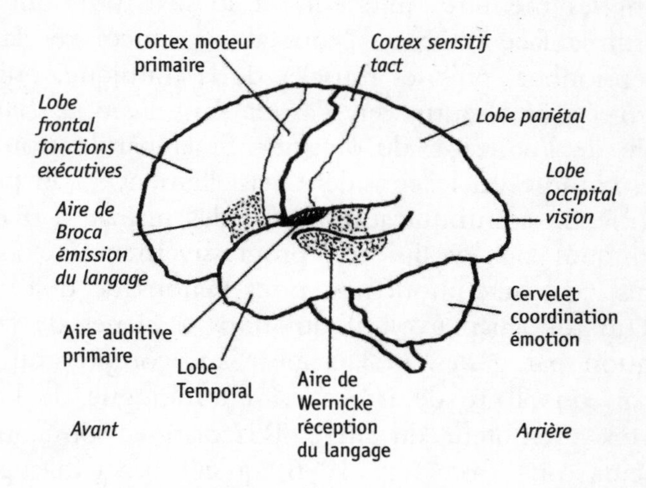

Figure 1 – Vue externe du cerveau.

À l'arrière du lobe frontal, juste en avant du sillon de Rolando, se situe le *cortex moteur primaire*. C'est là que les « marteaux » du cerveau percutent les « cordes » neuronales, selon les ordres élaborés par les programmes moteurs du lobe frontal, activant les cellules nerveuses du faisceau pyramidal, qui convergent vers la moelle telle une cataracte, tendues entre le cerveau et les muscles effecteurs à qui ils transmettent leur « vibration ». Le neurologue canadien Wilder Penfield, par des expériences de stimulation électrique, a établi la carte des fonctions de ce cortex moteur primaire et retrouvé la représentation d'un corps humain disproportionné, la surface occupée étant fonction de l'importance fonctionnelle pour la motricité des segments du corps représentés. On se souvient que cette surface peut varier et s'adapter, par exemple avec l'extension de la zone des quatrième et cinquième doigts de la main gauche pour les violonistes professionnels.

Je vous invite maintenant à une petite glissade le long du cortex moteur primaire sur la *face externe du cerveau* (nous laisserons les membres inférieurs et le sexe qui sont représentés sur la face interne). Nous allons rencontrer la main, surdimensionnée, puis les muscles de la mimique, puis ceux du larynx pour aboutir vers l'avant dans l'*aire de Broca* responsable de l'émission du langage. Si la parole trouve son origine, comme on le considère actuellement[8], non pas dans le système de communication vocal des primates, mais dans les mimiques faciales qui ont progressivement été associées aux sons, puis aux phonèmes, nous venons de descendre le long d'un toboggan évolutif qui nous a menés de la communication par gestes au langage. Sans compter qu'on sait désormais que l'aire de Broca est l'homologue de l'aire F5 du cortex prémoteur du singe. Rizzolati et son équipe de chercheurs ont noté en 1996 qu'elle s'activait pendant l'observation des mains et de la bouche *des autres*, découvrant la notion de neurones miroirs, aussi importante en neurologie que la découverte de l'ADN en génétique selon le neurologue de San Diego Ramachandran.

L'aire de Broca dériverait ainsi d'un mécanisme ancien impliqué dans la production et la compréhension des mouvements de communication d'abord par les gestes, les mimiques oro-faciales, puis les mots. Cela rappelle l'acquisition du langage chez l'enfant qui interagit en miroir avec sa mère, l'imitant et entrant en « résonance » avec elle. Pour Rizzolati, il est évident qu'une transformation de l'information visuelle en réponse motrice appropriée se produit dans le système des neurones miroirs – par exemple, chez l'élève qui regarde son professeur de guitare placer ses doigts pour jouer un accord, chez le bébé qui voit les mouvements des lèvres de sa mère en train de lui parler ou de lui chanter une berceuse, voire chez le supporter qui shoote dans le vide en même temps qu'un joueur de football marque un penalty.

Poursuivons notre voyage par une promenade, dans la *partie postérieure du cerveau*, celle qui reçoit les informations sensorielles. Vous vous souvenez que le lobe temporal reçoit les afférences sensitives auditives au niveau du planum, il déploie ses circonvolutions pour décrypter ces dernières. Nous arrivons bientôt à l'*aire de Wernicke*. Celle-ci permet la compréhension du langage et ne manque pas, par sa situation et sa fonction, d'influencer les rêveries du neurologue solitaire qui peut y voir une adaptation régionale du cortex auditif.

Si le langage enrichi par l'écriture est le fruit de l'adaptation, nous avons toutefois gardé des modes de communication plus anciens et non verbaux, pour exprimer des émotions comme la peur, la colère, la joie, la tristesse qui peuvent se manifester par des vocalisations, des expressions, des gestes. Les circuits neuronaux à la base des appels des primates – par exemple, les cris d'alarme en présence de prédateurs – sont différents de ceux du langage et impliquent des structures plus profondes comme le cortex cingulaire (temporal interne), le diencéphale et le tronc cérébral[9]. Si les sons utilisés pour le langage, la signification des mots, la syntaxe sont largement contrôlés par l'hémisphère gauche, les aspects plus musicaux de la langue comme la prosodie ou plus subtils comme l'humour et les métaphores nécessitent l'hémisphère droit.

MOZART AVANT RIMBAUD

Un dernier argument en faveur de l'existence initiale de la musique, avant le langage, est peut-être celui des génies précoces. Le psychiatre Philippe Brenot constate dans son livre *Le Génie et la Folie* l'émergence en premier des génies musicaux, avant les mathématiques et la peinture ; les génies littéraires fermant la marche. De fait, Mozart compose dès quatre ans, joue à la cour de Vienne à six ans et effectue sa grande tournée européenne entre neuf et onze ans. Camille Saint-Saëns a terminé l'apprentissage de sa première méthode de piano à deux ans et demi. Haendel maîtrise le clavecin et l'orgue à sept ans. Au même âge, Rameau est un virtuose et Chopin publie sa première polonaise. Roberto Benzi dirige un orchestre pour la première fois à huit ans. À neuf ans, Schumann écrit les *Joies d'une journée d'écolier*. Paganini donne son premier récital à onze ans. Liszt connaît par cœur et transpose dans tous les tons *Le Clavecin bien tempéré* de Bach à douze ans.

Le musicolangage

Jean-Jacques Rousseau est au carrefour de la musique et du langage. Son ambition initiale était de devenir un grand musicien et d'égaler son idole de jeunesse, Jean-Philippe Rameau. Il en avait dévoré avec passion, mais non sans difficultés, le *Traité sur l'harmonie* chez sa protectrice Mme de Warens. Hélas, Rameau n'appréciera pas ses *Muses galantes* et le ridiculise devant tout le salon de M. de La Pouplinière. La scène est retracée avec amertume dans les *Confessions*, mais également par Rameau qui dépeint Rousseau comme un impudent « particulier », plagiaire de surcroît. Le coup de grâce est donné avec un opéra dont le livret est de Voltaire, *La Princesse de Navarre*, que Rousseau transforme en *Fêtes de Ramire* en hommage à ses deux idoles (Ram/eau et Volta/ire) et qui lui vaudront à nouveau les remontrances du maître, lequel sera consulté pour reprendre le travail ! Dans les *Confessions*, Rousseau note : « Navré d'une conclusion pareille au lieu des éloges que j'attendais, et qui certainement m'étaient dus, je rentrai chez moi la mort dans le cœur. J'y tombai malade, épuisé de fatigue, dévoré de chagrin, et de six semaines je ne fus en état de sortir. » Heureusement, le compositeur manqué connaît la gloire en littérature dès 1750 avec son *Discours sur les sciences et sur les arts* et se console de ses disgrâces musicales avec un dernier petit opéra *Le Devin du village* créé à Fontainebleau devant Louis XV en octobre 1752, dans lequel la Pompadour tint un rôle : c'est le premier opéra dont le livret et la musique seront du même auteur. En 1768, un petit garçon composera son premier *Singspiel* sur le même sujet et le nomme *Bastien et Bastienne*. Il a douze ans et s'appelle Wolfgang Gottlieb Mozart.

ROUSSEAU ET RAMEAU : MÉLODIE CONTRE HARMONIE

Rousseau gardera toute sa vie une rancune tenace envers Rameau, tout d'abord dans les articles qu'il écrira sur la musique pour l'*Encyclopédie* de Diderot et d'Alembert, puis, dès 1753, dans un pamphlet, la « Lettre sur la musique française » dans laquelle il fait l'apologie des qualités musicales de la langue italienne et accable très sévèrement le français et, par là, la musique de Rameau, prenant parti dans la « querelle des bouffons » pour la défense de l'opéra-comique (*buffa*) italien. Il écrit : « Je crois avoir fait voir qu'il n'y a ni mesure ni mélodie dans la musique française, parce que la langue n'en est pas susceptible, que le chant français n'est qu'un aboiement continuel, insupportable à toute oreille non prévenue. »

Très populaire depuis son arrivée à l'Académie royale de musique, la question de l'opéra-bouffe divise alors l'intelligentsia musicale parisienne. Pour le parti de la musique française, le rire provoqué par l'opéra italien est nocif, parce qu'il fait perdre la maîtrise de soi (aurait-il lu

Le Nom de la rose ?), alors que les partisans des Italiens en appellent aux émotions. Rameau précise : « La musique est une science physico-mathématique. Le son en est l'objet physique et les rapports entre les différents sons en font l'objet mathématique. Sa fin est de plaire et d'exciter en nous diverses passions. » L'art de combiner les sons, l'harmonie, vient en premier, la mélodie lui étant assujettie. Pour Rousseau, en revanche, la mélodie, inspirée par les sentiments et les émotions est première, l'harmonie devant être à son service. La musique n'appartient pas au monde des physiciens, mais à un monde passionnel et moral.

Dans son essai posthume *Sur l'origine des langues*, où il est parlé de la mélodie et de l'imitation musicale, Rousseau va franchement s'opposer en tout point à Rameau qu'il tente une dernière fois de ridiculiser, établissant des parallèles avec la peinture : il présente le musicien comme un simple coloriste (l'harmonie), alors que seul le dessin (la mélodie) donne l'émotion. Pour lui, les passions ont parlé avant la raison, les premières langues ont été passionnées et chantantes et c'est la nécessité de communiquer des sentiments, et non des pensées, qui nous a amenés à chanter avant de parler. D'une certaine façon, Rousseau pense avec deux siècles d'avance sur Rizzolatti et la théorie des neurones miroirs que l'articulation est une intrusion du geste dans le domaine de la voix.

Si la langue est imitation, elle est imitation d'affects, d'émotions, mais pas d'objets. La musique « ne doit pas imiter des bruits, des objets, mais des sentiments, une musique imitative passe par l'impression que nous avons de l'objet et non par l'objet lui-même ». Sous l'influence de la théorie des climats de Montesquieu, Rousseau estime que les langues initiales sont nées sur le pourtour méditerranéen, en particulier en Provence et en Italie, là où elles restent très chantantes et mélodiques, contrairement aux langues du Nord, plus tardives, « sourdes, rudes, articulées, criardes, monotones, claires à force de bons mots plutôt que par une bonne construction », l'harmonie et la polyphonie étant des « inventions gothiques ».

Le langage devenant plus précis et moins musical, une dégénérescence s'est installée : « En cultivant l'art de convaincre, on perdit celui d'émouvoir. » L'écriture, enfin, est une catastrophe, qui substitue l'exactitude à l'expression : « L'on rend ses sentiments quand on parle et ses idées quand on écrit. » L'ouvrage, rappelons-le, est paru à Genève en 1781, soit trois ans après la mort de l'illustre philosophe... qui avait tant désiré être reconnu comme musicien !

LE MUSICOLANGAGE SELON STEVEN BROWN

Après analyses comparatives des différents composants de la musique et du langage, mélodie (prosodie), timbre, rythme (articulation, syllabes, phrases), syntaxe, sens, communication d'informations et d'émotions, le Suédois Steven Brown de l'institut Karolinska, suggère, comme Jean-Jacques Rousseau, que la musique et le langage dérivent d'un ancêtre commun qu'il nomme le « musicolangage ». Brown place au départ un système de vocalisations en rapport avec les émotions, certaines pouvant avoir un sens comme les signaux d'alerte des gibbons et aboutissant dans un premier temps à une sorte de lexique tonal. Dans un second temps apparaît une syntaxe permettant la combinaison des sons du lexique et la formation de phrases expressives : c'est le musicolangage, universel. Celui-ci va se scinder par la suite, aboutissant d'un côté à la musique avec sa mélodie et son rythme et, de l'autre, au langage et aux langues, précises, mais qui perdent leur universalité : c'est la tour de Babel. Les deux branches évolutives gardent toutefois des traits semblables issus de leur ancêtre commun et continuent d'interagir l'une avec l'autre : chanson, poésie, rites, narration musicale, parole musiquée, musique parlée.

Le son ou le sens ?

Selon Stéphane Mallarmé, « la musique rejoint le vers pour former, depuis Wagner, la Poésie ». Monique Brandily a montré qu'au Tibesti (Tchad) le choix de chanter ou de parler dépend du lieu (village/désert), des circonstances, du statut social (célibataire/marié ; Bédouins/forgerons), du sexe : l'instrument de musique peut remplacer la parole dans certaines situations. Dans un registre d'idées voisin, on sait aussi, depuis les travaux de Paul Watzlawik et l'école de Palo Alto, que la communication non verbale reste paradoxalement prépondérante dans le langage. Le timbre de la voix, le rythme et la prosodie d'un discours continuent toujours d'influencer majoritairement l'auditeur par rapport à son contenu, pourvu qu'ils véhiculent des émotions ressenties par tous. Aristote le signalait déjà dans son *Éthique* et Montesquieu affirma : « La plupart du temps, les paroles ne signifient point par elles-mêmes, mais par le ton dont on les dit. »

De la musique après toute chose ?

Le musicolangage, cher à Richard Wagner, aboutit donc d'un côté à la musique, directement connectée aux structures anciennes et robustes du cerveau émotionnel et, de l'autre, au langage, plus corticalisé, fruit de l'évolution et donc plus fragile : il requiert une adaptation de l'anatomie du larynx, ne peut plus être acquis passé une période critique, peut être altéré sous l'influence d'un gène défectueux (FOXP2). Il n'est donc pas étonnant qu'en fin de parcours, dans les processus involutifs et, en particulier, dans la maladie d'Alzheimer, il se désagrège et disparaisse en premier, laissant pour un temps le champ libre aux communications non verbales et, en particulier, à la musique.

« Mon cerveau se vide, je le sens se vider… j'en suis certain, je le sens, je le sens, je le sens… J'ai peur… *Au clair de la Lune, / Mon ami Pierrot, / Prête-moi ta plume pour écrire un mot, / Ma chandelle est morte, / Je n'ai plus de feu* » : ce n'est pas un être humain qui s'exprime ainsi, mais un ordinateur nommé HAL 9000, humanisé par sir Arthur C. Clarke pour les besoins du scénario du film *2001, l'Odyssée de l'espace*. L'astronaute Dave Bowman retire progressivement ses cartes mémoires et le *computer* l'observe de son œil rouge, inquiet, ne se souvenant plus pour finir que d'une chanson que lui a apprise son concepteur. On se souvient aussi du patient du neurologue Oliver Sacks, le docteur P., qui était aussi un musicien distingué, chanteur et professeur de musique. L'homme avait progressivement perdu le sens de la reconnaissance des visages, il négligeait son hémicorps gauche et tout ce qui se trouvait à sa gauche dans le monde. Il prenait la tête de sa femme pour un chapeau et compensait son déficit par le chant. Plus encore, il faisait tout en chantant. Il mangeait, il s'habillait en chantant et il perdait le fil s'il était interrompu, ne reconnaissant plus jusqu'à son propre corps. Le sens musical était miraculeusement préservé : Sacks pense que, chez lui, la musique avait remplacé l'image.

DE L'INNOCENCE À LA DÉMENCE

Voyons ce qu'en pense Marcel Proust lorsque Swann apprend que le compositeur Vinteuil, dont l'écoute de la fameuse sonate lui rappelait tant de souvenirs et d'émotions, sombre dans la folie : « Le peintre avait entendu dire que Vinteuil était menacé d'aliénation mentale. Et il assurait qu'on pouvait s'en apercevoir à certains passages de sa sonate. Swann ne trouva pas cette remarque absurde, mais elle le troubla ; car une œuvre de musique pure ne contenant aucun des rapports logiques dont l'altération dans le langage dénonce la folie, la folie reconnue dans une sonate lui paraissait quelque chose d'aussi mystérieux que la folie d'une chienne, la folie d'un cheval, qui pourtant s'observent en effet. »

Le cas de Robert Schumann est particulièrement démonstratif. Celui qui dit « tous les hauts sentiments que je ne puis traduire, le piano les dit pour moi », celui pour qui « la musique est toujours la langue qui permet de s'entretenir avec l'au-delà », qui peint « avec des sons, les sentiments et les portraits » et peut caricaturer sous la forme de musique ses amis (Chopin), ses idoles (Paganini), sa double personnalité (Florestan, Eusebius) ou son épouse Clara (Chiarina), souffre, on le sait, d'une syphilis tertiaire qui lui ronge progressivement le cerveau.

Il en ressent les premières attaques dès 1844, déprimé au retour d'une tournée en Russie qui s'est révélée triomphale pour son épouse. Schumann tremble, signale les premières hallucinations auditives sous la forme de bruits simples : l'année sera improductive. Il perd progressivement le langage, d'abord en raison des troubles de l'articulation (dysarthrie) inhérents à la maladie débutante, puis le brillant penseur de trente-trois ans, le rédacteur en chef de la revue *Neue Zeitschrift für Musik* qu'il a fondée, constate qu'il rencontre désormais des difficultés pour s'exprimer en paroles ou par écrit et qu'un quart d'heure de piano lui permet d'en dire plus que s'il noircissait des rames de papier.

Les bains froids du docteur Helbig n'améliorent pas son état, et la famille Schumann quitte Leipzig pour Dresde à la fin de l'année 1845. Robert vend sa revue sur les conseils de son médecin. Il essaye le magnétisme, mais, dès l'été, ressent de « folles démangeaisons en cent endroits différents », tandis que « cent trompettes sonnent violemment dans ma tête ». Fin 1846, il écrit : « Je souffre tant, depuis longtemps déjà, que souvent il m'est impossible d'achever une lettre commencée. » Pourtant, il va se remettre à composer, des œuvres vocales, deux trios, son opéra *Genoveva*, un oratorio *Le Paradis et la Peri*, *Manfred*, les célèbres *Scènes de la forêt pour le piano*, l'*Album de la jeunesse*. L'apogée est en 1849, l'année féconde. Suivront en 1850 le *Concerto pour violoncelle* et l'immense succès de la *Symphonie rhénane*. « Il faut bien travailler tant qu'il est jour », dit-il en 1851. Les années suivantes, on constate une perte des finesses orchestrales (les a-t-il jamais eues ?), mais l'inspiration reste au rendez-vous : le *Troisième Trio*, les *Sonates pour violon et piano*, les *Phantasiestücke opus 111* en 1852, le *Pèlerinage de la rose*, des messes, un requiem. En revanche, il n'arrive plus à diriger l'orchestre, les instrumentistes ne le comprennent plus. À Brahms qui vient lui rendre visite, il dit : « C'est bon de vous avoir ici, maintenant nous pourrons nous taire ensemble ! »

Il continue néanmoins de composer et du 15 au 18 octobre 1853 met un point d'orgue à sa carrière avec les émouvants et graves *Chants de l'aube*, qu'il dédiera à Bettina Brentano, celle qui fut l'amie de Goethe et peut-être la fameuse « immortelle bien-aimée » de Beethoven, venue lui rendre visite le 28 octobre. C'est avec lucidité, malgré ses effroyables hallucinations et les horribles douleurs liées à la maladie, qu'il constate le 6 février 1854 : « La musique se tait, à présent, tout au moins extérieurement, je dois maintenant conclure, il commence à faire sombre. » Il se jette dans le Rhin le 26, un jour de carnaval. Sa demande d'internement, qui n'a pas initialement été prise au sérieux, l'est désormais.

En mai 1855, Bettina vient le visiter à l'asile d'Endenich : « Son visage rayonna du plaisir de nous voir [cerveau émotionnel], il me dit avec des mots péniblement articulés qu'il lui était devenu difficile de parler. »

Brahms, en 1856, rapporte : « Ses yeux étaient brouillés, il parlait sans trêve et je ne comprenais rien, le plus souvent une sorte de balbutiement, bababa, dadada, le médecin me dit qu'au mieux il resterait dans cet état apathique. »

Clara, le 23 juillet de cette même année, raconte : « Il me prit dans ses bras avec un grand effort, car ses membres ne lui obéissaient plus. »

Schumann meurt le 29 juillet 1856. Le rapport d'autopsie fait état d'un épaississement et d'une dégénérescence des méninges, d'adhérences en plusieurs endroits entre la pie-mère et la substance grise du cerveau et, enfin, d'une atrophie sensible de l'ensemble du cerveau, qui pèse près de « sept onces de moins que la moyenne pour l'âge »...

L'ORIGINE DU CHANT DES CIGALES

Clara Schumann lui survivra quarante ans et l'histoire de ce couple rappelle le mythe d'Éos et de Tithonos. Rappelons qu'Éos, fille de Titans, est la déesse ailée de l'aurore, la sœur d'Hélios (le Soleil) et de Séléné (la Lune). Tous les jours, celle qu'Homère nomme la déesse aux doigts de rose ou à la robe safranée, précède le char d'Hélios, ouvrant la marche du soleil et déverse sa rosée. Elle est mère des vents Zéphyr, Notos et Borée ainsi que des astres. Tout va bien jusqu'à la colère d'Aphrodite qui, furieuse de la trouver un jour au lit avec son amant Arès (Mars), la condamne à de continuelles amours avec de jeunes mortels.

Timide et rougissante, la déesse les séduit les uns après les autres : le géant Orion, fils de Poséidon, Céphale, Clitos, Ganymède, puis c'est de Tithonos, jeune prince troyen, frère aîné de Priam, qu'elle s'éprend. De nombreuses illustrations antiques la montrent poursuivant son fiancé qui tient une lyre à la main. Le couple donnera naissance à des colosses à la peau noircie par leur oncle Hélios, Memnon et Émathion, rois d'Éthiopie et d'Arabie. Le temps passant, Éos demande à Zeus, qui l'a privée par le passé d'un de ses anciens amants, Ganymède, de conférer l'immortalité à Tithonos, qui commence à vieillir et dont les cheveux blanchissent, mais, par étourderie, oublie d'ajouter à sa requête la jeunesse éternelle. Tithonos, désormais immortel, vieillit lentement à ses côtés, alors qu'elle conserve une éternelle fraîcheur. Il se ride et se dessèche, se tasse sur lui-même. Sa voix se fait chevrotante. Mettant fin à sa décrépitude, Éos finira par le métamorphoser en cigale selon Ovide. Comme l'écrit Lévi-Strauss, « tout se passe comme si la musique et la mythologie n'avaient besoin du temps que pour lui infliger un démenti. L'un est l'autre sont, en effet, des machines à supprimer le temps »...

CHAPITRE 3

Les effets de la musique sur le cerveau

Troisième mouvement : appassionata

(Menuet, allegretto)

« La vieillesse est la maladie de la temporalité et, par conséquent, elle est à la fois normale et pathologique. »

JANKELEVITCH.

Il y a plusieurs façons de vieillir, et de réagir à la maladie d'Alzheimer si on en est atteint – les musiciens en paraissent curieusement protégés. On peut, en l'absence d'interaction, rester la victime des outrages du temps, « aquaboniste » comme dans la chanson de Gainsbourg, laisser faire le compte à rebours. On peut faire avec, et c'est le *coping* défini par Lazarus et Launier en 1978 comme l'ensemble des processus qu'un individu interpose entre lui et un événement jugé menaçant, pour maîtriser, tolérer ou diminuer l'impact de celui-ci sur son bien-être physique et psychologique (« Je perds un bras, tant pis, je me sers de celui qui reste ») : c'est une évaluation subjective qui passe par les ressources personnelles et par des facteurs environnementaux. Enfin, on peut se remettre en marche malgré l'adversité, reprendre une dynamique, sous l'influence de diverses interactions ; c'est un processus de résilience et la musique peut en constituer une braise. Se mettre en marche se dit en latin *movere*. *Ex-movere*, « se mouvoir vers l'extérieur », a donné le mot « émotion ». Les émotions, nous l'avons vu, ont engendré la musique, laquelle engendre des émotions.

Émotions et musique

« La musique est la forme la plus raffinée de la lubricité. »

TOLSTOÏ, *La Sonate à Kreutzer.*

QUAND UN CASTRAT PROVOQUE L'ORGASME

Sans doute vous souvenez-vous du film de Gérard Corbiau, oscar du meilleur film étranger en 1994, qui raconte la vie du plus célèbre des castrats, Carlo Broschi dit Farinelli (1705-1782). On dut, pour tenter de reconstituer l'étendue de sa voix, mixer celle d'un contre-ténor (Derek Lee Ragin) et d'une soprano colorature (Ewa Malas-Godlewska). La technique de Farinelli était exceptionnelle, et son expressivité telle qu'on lui fit un pont d'or pour qu'il se rende à Londres en 1734 au théâtre de Lincolns Inn Field – alors dirigé par son maître napolitain Nicola Porpora – afin de concurrencer Haendel qui officiait à Covent Garden.

Une scène du film montre l'étendue des pouvoirs de cette voix : une femme lit dans sa loge et dérange Farinelli en faisant tinter une petite cuillère contre une tasse de thé. Le castrat s'arrête, la foudroie du regard. Il porte un costume inspiré des matadors et un casque paré de longues plumes multicolores qui le fait ressembler à un oiseau impérial. Il reprend son chant cristallin en fixant intensément la perturbatrice de ses yeux soulignés de rouge – seules ses lèvres et sa langue, également rouges, s'animent au milieu de son visage très pâle. Après quelques vocalises d'une grande virtuosité, il se met à tenir un contre-ut puissant, servi par son souffle exceptionnel. La femme est d'abord intriguée, curieuse, attentive : son regard se fige. Puis elle est séduite, elle se détend : ses yeux brillent, s'embuent, ses pupilles se dilatent, sa gorge se noue, son cœur palpite ; elle rougit, sa respiration s'accélère ; elle transpire, frisonne, sa bouche s'entrouvre, sa tête se penche légèrement en arrière, un sourire de bonheur se dessine ; elle s'abandonne, comblée. Elle l'avouera plus tard : elle vient de connaître un orgasme musical. Dans le même temps, deux femmes s'évanouissent à côté d'elle. Le même phénomène a été rapporté maintes fois avec « The Voice » (Frank Sinatra), les Beatles, Elvis Presley et même Tino Rossi et Serge Gainsbourg. Avant eux, Gaetano Donizetti avait déjà été surnommé le « Maestro Orgasmo » par Hector Berlioz et on sait que les femmes du monde volaient les tasses de café dans lesquelles avaient trempé les lèvres de Franz Liszt.

Revenons à Farinelli. Sa carrière ne s'arrêta pas à Londres. En 1737, il accepte l'invitation d'Élisabeth Farnèse à Madrid. Elle espère que la voix du castrat parviendra à guérir son mari, Philippe V roi d'Espagne, de sa dépression. Mélancolique chronique, le souverain se désintéresse, en effet, des affaires de l'État et de la vie publique, reste confiné dans ses appartements, ne désire recevoir personne. Le castrat donne un récital sous ses fenêtres et l'effet est immédiat : le roi est sauvé, reprend goût à la vie et offre une pension colossale au chanteur pour qu'il reste à la cour pour son plaisir exclusif. Et c'est ainsi que, jusqu'en 1759, Farinelli interprétera chaque soir les quatre mêmes airs pour le monarque, dont il devient le favori, puis, pour son fils Ferdinand VI qui le couvre d'honneurs et l'élève à la plus haute distinction du royaume : chevalier de Calatrava. Retiré dans une somptueuse villa à Bologne, le castrat y recevra la visite du jeune Mozart. Puis, celui dont la voix avait des vertus aphrodisiaques et antidépressives s'éteindra, seul et mélancolique.

BIENFAITS OU MÉFAITS : PETIT FLORILÈGE

La musique est née des émotions. Elle va donc naturellement exercer en retour des effets sur les émotions. Ces effets sont connus et utilisés depuis l'Antiquité : Orphée amadoue grâce aux harmonies de sa lyre les puissances infernales et les animaux ; les sirènes d'Homère et la Lorelei de Heinrich Heine rendent les marins fous ; Achille, selon Plutarque, calme sa colère contre Agamemnon lors du siège de Troie en jouant de la lyre. Autres exemples illustres : le jeune Chopin, âgé de dix ans, tempère au piano les accès de violence de Constantin, le frère du tsar en résidence au château du Belvédère à Varsovie ; Jean-Sébastien Bach compose pour le comte de Keyserling, ambassadeur de Russie à Dresde lequel, souffrant d'insomnie, tente de se distraire et de retrouver le sommeil en écoutant la nuit son jeune claveciniste, Johann Gottlieb Goldberg à qui sont dédiées les célèbres variations....

Clément d'Alexandrie, auteur paléochrétien, écrit à la fin du IIe siècle : « Repousser le plus loin possible, pour épargner notre santé morale, les harmonies réellement voluptueuses qui, par les inflexions des sonorités, corrompent et mènent à la mollesse et à la bouffonnerie. Qu'on laisse donc les harmonies chromatiques aux excès sans pudeur des buveurs de vin et à la musique couronnée de fleurs des prostituées. » Moins négatif, mais tout aussi méfiant, saint Augustin, au IVe siècle, émet dans *De musica* une théorie selon laquelle la musique n'est rien de plus qu'un bruit insignifiant jusqu'à ce que l'esprit soit touché, mais pose avec pertinence six conditions nécessaires et successives à l'expérience musicale : la réalité physique du son, le récepteur sensoriel (l'ouïe), la faculté de se représenter des images sonores, l'existence d'une mémoire musicale, l'analyse rationnelle et le jugement de la subs-

Les Grecs et la musique

Les Grecs, à l'instar des compositeurs de musiques de films actuels, influençaient l'humeur de leur public au théâtre par des chœurs aux tonalités adaptées. Le mode lydien s'accordait aux sentiments funèbres, le myxolydien aux humeurs pathétiques. Aristote retient deux modes essentiels : le phrygien, qu'il associe aux fêtes populaires, c'est la musique des courtisanes, des joueuses de flûte et des tripots, faite pour détendre après le travail, musique d'esclaves, grossière et qui ne nourrit pas l'esprit ; le mode dorien, plus difficile, qui s'adresse à l'intellect et élève l'âme, il est constitué de huit notes en partant du mi, de l'aigu vers le g25
rave (*mi ré do si la sol fa mi*), c'est la musique des hommes libres de bonne éducation et des femmes honnêtes. Dans l'Antiquité grecque, un vase peint sur dix représente une scène avec un instrument de musique. Même l'art de la guerre se pratique en musique : selon Plutarque, les Lacédémoniens partent au combat au son des flûtes, sur l'air dit de Castor ; les Crétois préfèrent la lyre ; d'autres les trompettes. Quelle que soit l'issue du conflit, les musiciens doivent être épargnés…

tance musicale et enfin la sublimation. Changement de point de vue radical avec Gil de Zamora qui, dans son *Ars musica*, vers 1270, évoque les bienfaits de la musique. Pour ce franciscain espagnol, la musique « émeut l'âme, excite les passions, aiguise les sensations ; elle réjouit les affligés, effraie les lâches. Elle soulage des fatigues du travail aux champs – les galériens ne rament-ils pas en cadence ? […] Elle guérit les malades, chasse les démons, influence les animaux. […] Elle encourage les combattants et l'ardeur à combattre est d'autant plus grande qu'est plus fort le son des trompettes. » Au chapitre XV, la description que Zamora donne des huit tons utilisés par l'Église depuis Grégoire le Grand est digne de faire pâlir d'envie tout spécialiste actuel de la communication, c'est un régal. Les voici pour mémoire :

— Premier ton : changeant et maniable, approprié à tous les sentiments.

— Deuxième ton : grave, convient aux gens tristes et malheureux.

— Troisième ton : sévère et stimulant, sa mélodie fait de grands sauts, de nombreux malades ont été guéris grâce à lui.

— Quatrième ton : caressant et bavard, convient aux flatteurs.

— Cinquième ton : doux, agréable, calme et apaise les gens tristes et inquiets, réconforte ceux qui ont « failli » (*sic* !) et ceux qui ont perdu l'espoir.

— Sixième ton : porte à la piété et aux larmes, plaît à ceux qui pleurent facilement.

— Septième ton : enjoué et plaisant, c'est le ton des adolescents.

— Huitième ton : doux et morose, à la façon des isolés.

La musique comme antivenin ?

La musique n'échappe pas à l'esprit encyclopédique d'Athanasius Kircher. Outre l'étude de l'acoustique, de l'optique, de la linguistique et des hiéroglyphes, de la géologie et du magnétisme, de l'astronomie et de la médecine, ce jésuite allemand enseignera les mathématiques, la physique et les langues orientales au Collège romain. Il y passera la plus grande partie de son existence à partir de 1635, fréquentant des compositeurs comme Domenico Mazzocchi ou Gregorio Allegri. Il inventera un mégaphone, un système destiné à engendrer des partitions musicales ainsi que des instruments de musique automatisés notamment des orgues hydrauliques. En 1650, Athanasius Kircher publie son traité sur la musique *Musurgia Universalis* et n'hésite pas à composer une tarentelle, danse utilisée dans le sud de l'Italie comme antidote aux piqûres de tarentule (*antidotum tarentulae*) aux origines dionysiaques probables. Suivons son argumentation de jésuite.

« Pourquoi ne peut-on guérir les personnes empoisonnées par la tarentule autrement que par la musique ? Les cordes ayant grand pouvoir et efficacité grâce à leur mouvement qui fait bouger l'air d'une certaine façon, il arrive que l'air même, agité par les tons mélodieux de telles cordes et durablement marqué par ce balancement musical, pénètre le corps par le pouvoir de la raison et du sentiment, occupés d'un mouvement si charmant, et remue les esprits de même façon. Mais de tels esprits vitaux, qui s'étaient trouvés jusque-là raréfiés et dispersés, affectent et touchent également de la façon la plus agréable les articulations de la chair et les veines qui diffusent l'air, ainsi que les fibres, les tissus et les membranes les plus profonds, dans lesquels se trouvent en général lesdits esprits vitaux.

« Puisque lesdites fibres, membranes et articulations ou muscles conduisent et recèlent le poison caché, et également à l'intérieur, cette moiteur piquante, cette humeur âcre et bilieuse, il s'ensuit que de telles humeurs sont également raréfiées et dispersées avec le poison ainsi remué et agité.

« Alors, s'échauffant peu à peu, toutes les articulations deviennent chatouilleuses et commencent à pincer et à s'étirer, ce qui force le patient, comme par un picotement et une stimulation agréable, à danser et à sauter. Or ces danses, ces bondissements, remuent tout le corps avec toutes les humeurs qu'il contient. Une si forte agitation a comme conséquence un réchauffement et une chaleur accrue. Et ce réchauffement de tout le corps fait se dilater et s'ouvrir les trous d'air, par lesquels trous d'air il s'ensuit nécessairement que les vents et humeurs empoisonnés s'exhalent et s'en vont. »

Mais encore faut-il trouver le remède adapté à la nature du venin et du patient : « Quand quelqu'un a été piqué par la tarentule mélancolique, poursuit Kircher, il devient indolent, paresseux, somnolent. S'il est atteint par une araignée de l'espèce colérique, cela le rend lui-même colérique, versatile, agité, frénétique, disposé au meurtre et à l'étranglement. Ainsi doit-on conclure également pour d'autres humeurs, qu'un ton ou une musique convient particulièrement au blessé. De cette façon, les mélancoliques, ou ceux qui ont été piqués par des tarentules de cette sorte, qui véhiculent un venin particulièrement puissant, sont remués davantage par les fortes sonorités des trompettes et des timbales, et d'autres instruments retentissants, que par la subtilité des cordes. À ce propos, on nous écrit de Tarente que, dans cette ville même, on n'a pu faire danser une jeune fille qui avait absorbé un tel poison par le moyen d'autres instruments que les timbales, tambours, tirs de fusil, trompettes et semblables choses. Les colériques, bilieux et sanguins, en revanche, guérissent rapidement et facilement au son des cistres, violons, luths, clavecins et autres suaves instruments de la sorte… »

Athanasius Kircher, *Magnes sive. De arte magnetica*, Rome, 1641.

L'écriture musicale est apparue tardivement en Occident avec Guy D'Arezzo vers l'an 1000, d'abord sur la main, puis sur la portée. La transmission musicale se fait donc essentiellement *viva voce* et repose sur la mémoire auditive et les émotions qui peuvent y être associées – de même, les auditeurs illettrés peuvent se remémorer les textes entendus à l'Église, en particulier les psaumes, en se souvenant des chants associés. Au XVIIe siècle, Marc-Antoine Charpentier (1634-1704), le compositeur de musique baroque qui a créé le célèbre *Te Deum* ressuscité par l'ORTF et bien connu des amateurs de rugby, catalogue dans ses *Règles de composition* les effets de chaque tonalité de la façon suivante :

— *Do* majeur : gai et guerrier.
— *Do* mineur : obscur et triste.
— *Ré* mineur : grave et dévot.
— *Ré* majeur : joyeux et très guerrier.
— *Mi* bémol majeur : cruel et dur.
— *Mi* bémol mineur : horrible, affreux.
— *Mi* mineur : efféminé, amoureux et plaintif.
— *Mi* majeur : querelleur et criard.
— *Fa* majeur : furieux et emporté.
— *Fa* mineur : obscur et plaintif.
— *Sol* majeur : doucement joyeux.
— *Sol* mineur : sérieux et magnifique.
— *La* mineur : tendre et plaintif.

— *La* majeur : joyeux et champêtre.
— *Si* bémol majeur : magnifique et joyeux.
— *Si* bémol mineur : obscur et terrible.
— *Si* mineur : solitaire et mélancolique.
— *Si* majeur : dur et plaintif.

Beethoven, mais il ne sera pas le seul, pense, comme Charpentier, que chaque tonalité instaure un climat émotionnel particulier et que, par conséquent, toute transcription d'une pièce dans une autre tonalité est inconcevable.

Après Charpentier, c'est au tour de Johann Joseph Fux (1660-1741) de commenter l'effet de la musique sur la naissance des sentiments. L'homme, un peu oublié aujourd'hui, a influencé Mozart, Haydn, Beethoven et Schubert avec son *Gradus ad Parnassum*, traité de composition musicale qu'il écrit vers la fin de sa vie pour résumer et transmettre son savoir du contrepoint, permettant au futur musicien de gravir les « marches du Parnasse » pour y rejoindre les muses. Debussy lui a également rendu un lointain hommage avec son œuvre homonyme, et Hiller et Isaacson s'en sont servis pour leur programme de composition musicale assistée par ordinateur en 1956. Pour Fux, la musique profane a été créée pour divertir les âmes par divers sentiments : il faut, par exemple, une voix caressante, tendre et affectueuse pour le sentiment amoureux (Julio Iglesias ?), une voix pleine d'effusion, mais douce cependant et modérée pour la volupté (*Je t'aime, moi non plus* ?). Lorsqu'il décrit le sentiment de la colère obtenu à l'aide « d'une voix tendue dans l'aigu, et qui, si elle doit être plus véhémente encore, se rapproche du cri par un mouvement brusque » avec « des notes de valeur courte toujours dirigées vers l'aigu et accompagnées d'une basse mouvante », il est difficile de ne pas penser aux vocalises de la Reine de la nuit dans *La Flûte enchantée*.

La virtuosité de Mozart

Mozart, entrelaçant les voix, arrive à faire s'exprimer plusieurs sentiments *en même temps* dans ses opéras. À la fin du premier acte de *Don Giovanni*, trois orchestres jouent simultanément lors de la scène du bal. Un aristocratique menuet accompagne la colère rentrée de Donna Anna (« Je ne tiens plus ! »), Donna Elvira et Don Ottavio (« Contenez-vous, au nom du ciel ! »), pendant qu'une danse populaire entraîne Zerlina dans les bras de Don Giovanni (« Que la musique reprenne ! Et toi [Leporello], accouple les danseurs ! ») et qu'une autre danse populaire, renforcée par deux cors, permet à Leporello, le valet de Don Giovanni, d'entraîner à l'écart Masetto, le fiancé de Zerlina (« Cher Masetto, viens un peu danser ! » « Non, non, je ne veux pas ! » « Viens danser ! » « Non, non, je ne veux pas ! » « Allez, mon ami, viens danser ! »).

Par rapport à l'Occident, l'Orient n'est pas en reste et, si Confucius proclame « jouis de la musique, c'est la formation de l'harmonie intérieure », Soliman II renvoie la fanfare de François Ier de peur de voir ses mœurs adoucies. Les contes et légendes d'Orient fourmillent d'évocations mettant en valeur les influences de la musique. Al Makki 1, l'une des premières autorités soufies qui vit à Bagdad en 931-996, conseille comme saint Augustin de ne pas se laisser distraire par la mélodie, y compris celle du langage. Al Makki 2, un homonyme du XVIIe siècle, rapporte des anecdotes sur les effets de la musique sur les animaux et sur l'homme.

De nos jours, les musiques renforcent le pouvoir émotionnel des films : le petit Alex imaginé par Anthony Burgess et porté à l'écran par Stanley Kubrick dans *Orange mécanique* se gave de Beethoven et de Rossini avant ses séances d'ultra-violence ; les hélicoptères de Francis Ford Coppola attaquent les villages vietnamiens au milieu du fracas des bombes et de « La chevauchée des Walkyries » dans

Les cordes de l'oud

Jadis Ziriad, musicien à la cour du calife Haroun al-Rashid au IXe siècle, retrouve les quatre tempéraments d'Hippocrate sur les cordes de son oud : la corde la plus aiguë, peinte en jaune, représente la bile blanche, venue du foie et le tempérament « nerveux » ; la deuxième corde, peinte en rouge, évoque le sang et les « sanguins » ; la blanche symbolise la lymphe, le flegme ; et la plus grosse, la bile noire, la *melanos chole*, la mélancolie venue de la rate (*spleen* en anglais). Il ajoute une cinquième corde, en boyau de lion, l'âme, qui relie et donne vie aux quatre autres. Les musiciens traditionnels hindous improvisent selon les différents états émotionnels qu'ils souhaitent susciter, qu'ils nomment « *rasa* » ou saveurs : la joie, la tristesse, la colère, la grandeur, la peur, le dégoût, la paix, la volupté, l'extase.

Apocalypse Now laissant le napalm à Jim Morrison et aux Doors (« This is the end ! »). Dès 1909 les films Edison ont d'ailleurs dressé un catalogue, *Suggestion for Music*, où chaque émotion est associée à des mélodies du répertoire classique. Des « couples » mythiques vont se constituer entre des réalisateurs et des compositeurs de musiques de films en résonance émotionnelle : Bernard Herrmann et Alfred Hitchcock, qui le fera apparaître à la tête de l'orchestre de l'Albert Hall de Londres dans *L'homme qui en savait trop* ; Maurice Jarre et David Lean ; Joseph Kosma et Marcel Carné ; Georges Delerue et François Truffaut ; Nino Rota et Frederico Fellini ; Ennio Morricone indissociable de Sergio Leone ; Danny Elfman et Tim Burton ; Angelo Badalamenti et David Lynch ; Francis Lai et Claude Lelouch ; Éric Serra et Luc Besson…

Se soigner par la musique

La musicothérapie dite « passive » ou « réceptive », centrée sur l'écoute, utilise les propriétés émotionnelles de la musique. Pour les Occidentaux, le tempo rapide, un mode majeur traduisent la joie ; un tempo lent, en mineur, la tristesse. Elle parvient par des techniques de relaxation sous induction musicale, à améliorer les états d'angoisse, de nervosité, de stress, d'insomnie, à lutter contre les maladies psychosomatiques. Elle est utilisée comme moyen de détente en institution ou en préopératoire et même à des fins antalgiques. Une musique stimulante, jazzy, peut aiguiser l'appétit et encourager les pensionnaires d'une maison de retraite à se rendre à la salle à manger. Dans d'autres cultures, l'état de transe obtenu par la musique et la danse sera utilisé par le guérisseur ou le chaman pour tenter d'obtenir une transaction avec l'esprit supposé habiter le malade et espérer la guérison.

DU PLAISIR AU GRAND FRISSON

Sans aller jusqu'à l'orgasme musical, nous avons tous un jour ou l'autre ressenti des frissons à l'audition d'un morceau de musique, avec pilo-érection, accélération du rythme cardiaque, de la fréquence respiratoire, moiteur des mains, sensation de bonheur, extase. C'est le miracle de sainte Cécile. Écoutons Berlioz : « Tout mon être semble entrer en vibration, c'est d'abord un plaisir délicieux où le raisonnement n'entre pour rien, l'habitude de l'analyse vient ensuite d'elle-même faire naître l'admiration, l'émotion croissant en raison directe de l'énergie ou de la grandeur des idées de l'auteur produit successivement une agitation étrange dans la circulation du sang ; mes artères battent avec violence, les larmes, qui d'ordinaire annoncent la fin du paroxysme, n'en indiquent souvent qu'un état progressif qui doit être de beaucoup dépassé. En ce cas, ce sont des contractions spasmodiques des muscles, un tremblement de tous les membres, un engourdissement total des pieds et des mains, une paralysie partielle des nerfs, de la vision et de l'audition ; je n'y vois plus, j'entends à peine, vertige… demi-évanouissement. » Opium ? *Songe d'une nuit de sabbat* ?

Quand Marylin parle de Rachmaninoff

Sergueï Rachmaninoff, qui avait traversé une phase de profonde dépression après l'échec de sa *Première Symphonie* en 1897, reprit goût à la vie et retrouva l'inspiration grâce à son médecin Nicolas Dahl, neurologue et hypnotiseur. Il lui dédicaça son merveilleux *Deuxième Concerto pour piano opus 18*, celui à propos duquel Marylin Monroe déclare dans *Sept ans de réflexion* : « Chaque fois que je l'entends, j'éclate en morceaux !… Ça me secoue ! Ça me fait trembler ! Ça me donne la chair de poule ! Je ne sais plus où je suis, ni qui je suis, ni ce que je fais ! »

Blood et Zatorre (2001) ont étudié en IRM fonctionnelle le cerveau de musiciens écoutant, transportés, le *Troisième Concerto de piano en ré mineur* de Rachmaninoff, le fameux « Rach 3 ». Ils ont observé une excitation dans des zones du cerveau impliquées dans l'éveil (formation réticulaire, thalamus, cingulum antérieur), mais surtout une augmentation du débit sanguin cérébral proportionnelle à l'intensité des frissons dans un circuit cérébral connu comme le circuit de la récompense ou du plaisir. Ce circuit, fondamental dans notre vie mentale, est impliqué dans tous nos comportements. Sans doute vous souvenez-vous de ces expériences qui ont défrayé la chronique dans les années 1950 et inspiré Bernard Werber pour son livre *L'Ultime Secret*. James Olds et Milner ont implanté des électrodes dans le cerveau d'un rat, au sein d'une structure nommée le noyau accumbens. Le rongeur peut activer cette zone à l'aide d'un levier. Il s'autostimule alors sans arrêt, ne prenant même plus le temps de manger. Ce circuit de la récompense, fruit de la sélection naturelle, est essentiel pour la survie de l'individu. Il favorise les comportements fondamentaux : manger, boire, se reproduire, avoir un comportement maternel, mais il nous incite également à répéter les expériences plaisantes apprises au cours de la vie, pouvant engendrer une véritable dépendance : c'est la cible privilégiée des drogues. Son activation par la musique, à l'instar de la cocaïne, n'est donc pas étonnante, et ce besoin de répéter l'expérience plaisante, d'en devenir « dépendant » explique vraisemblablement ces phénomènes de musiques qui nous trottent dans la tête, ces rengaines ou vers musicaux dont on ne peut plus se débarrasser et qui se répliquent comme des virus. Notre cerveau s'active de la même façon lorsqu'on imagine écouter un morceau que lorsqu'on l'écoute réellement et ce passage en boucle de la même séquence musicale peut donc s'effectuer automatiquement « à l'insu de notre plein gré » pour paraphraser un célèbre coureur cycliste du tour de France interrogé sur un contrôle antidopage positif.

Le noyau accumbens est relié à l'ATV ou aire tegmentaire ventrale et la connexion entre ces groupes de neurones du circuit du plaisir va impliquer la dopamine, neuromédiateur déficient dans la maladie de Parkinson : c'est la raison pour laquelle la prise de dopamine à la base du traitement de cette maladie active parfois cette voie de la récompense, provoquant des comportements non souhaités de recherche frénétique du plaisir. Outre l'excitation sexuelle, le jeu pathologique est le plus souvent décrit. Les patients se ruinent au casino (et intentent parfois des procès à leur neurologue), recherchent le risque, en particulier en voiture, et se livrent à des activités motrices inutiles, parfois des vocalises. Dépendants à la dopamine, ils n'hésitent pas à falsifier les ordonnances ou à consulter plusieurs médecins pour s'en procurer de plus grandes quantités.

D'autres neuromédiateurs sont impliqués dans ce circuit, comme la sérotonine (à la base de la plupart des antidépresseurs actuels depuis le Prozac) et surtout les endorphines ou morphine endogène, opiacés sécrétés par le cerveau vraisemblablement à l'origine des frissons provoqués par la musique (ces derniers n'apparaissent pas si l'on administre un produit antagoniste, la naloxone). Ils inhibent également l'activité des neurones excitants à (nor)adrénaline et sont sans doute ainsi à l'origine des effets tranquillisants et antalgiques de la musique. Une augmentation de ces endorphines est d'ailleurs retrouvée dans la salive des musiciens, même non toxicomanes.

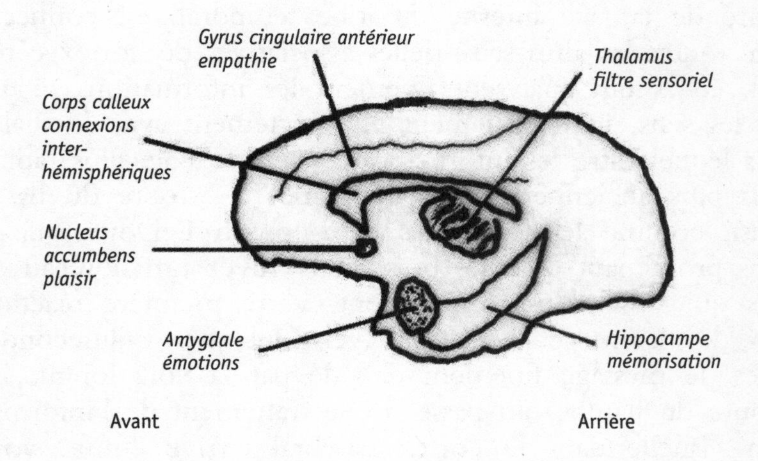

Figure 2 – Vue interne du cerveau.

Le circuit de la récompense comprend d'autres connexions vers des structures primitives du cerveau comme l'amygdale, mais aussi très récentes comme le noble cortex préfrontal, fierté d'*Homo sapiens sapiens*. Celui-ci aura bien du mal à tenter d'endiguer le flot d'émotions qui le submerge et va même en partie l'inhiber. Il tentera par la suite de justifier de ses comportements pas toujours très raisonnables.

L'AMYGDALE NOUS VEUT DU BIEN

Stefan Koelsch et ses collaborateurs de l'Institut Max-Plank de Leipzig sont allés plus loin dans l'étude des émotions provoquées par la musique, étudiant en IRM fonctionnelle les effets de la musique désagréable (dissonante) et agréable (consonante) sur des non-musiciens. Ils ont observé qu'une musique rendue constamment dissonante par une manipulation électronique active des régions cérébrales impliquées dans la peur, en tout premier lieu l'amygdale. Ce groupe de neurones en forme d'amande, qui se situe en avant de l'hippocampe, à la partie antérieure de la face interne du lobe temporal, est connecté avec toutes les aires sensorielles associatives du cortex cérébral, celles qui analysent finement les informations reçues par les sens, mais également et directement avec le thalamus lequel filtre les informations, par une voie plus rapide mais plus ancienne et plus grossière : la « route du bas ». Ainsi, comme le décrit très bien Joseph LeDoux, si, en vous promenant dans les bois, vous voyez un morceau de bois qui ressemble à un serpent, votre première réaction sera de l'éviter et d'être effrayé. Quelques millisecondes après, le message finement décodé par la voie longue, la « route du haut », qui passe par le traitement de l'information visuelle dans le cortex cérébral, arrive enfin : vous reconnaissez le bâton et vous êtes rassuré, au prix d'une belle frousse ancestrale, qui aurait néanmoins pu vous sauver la vie s'il s'était réellement agi d'un serpent venimeux.

L'amygdale active des structures impliquées dans l'éveil ainsi que le système nerveux végétatif ou autonome qui est responsable des manifestations somatiques des émotions. Le système sympathique, on s'en souvient, prépare, lui, l'organisme à l'activité physique ou intellectuelle, il orchestre la réponse de fuite ou de lutte devant un danger. Grâce à l'adrénaline et à la noradrénaline libérées, il

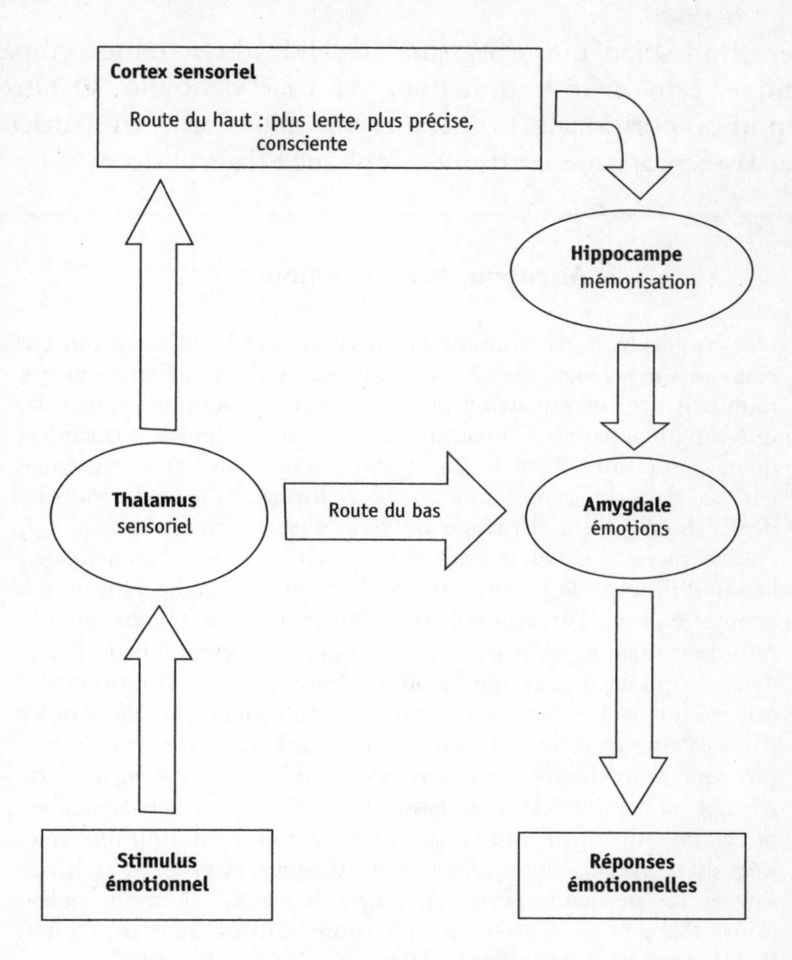

Figure 3 – Cerveau et émotions chez un sujet sain (d'après Ledoux J., 2005).

dilate les pupilles, provoque la sécrétion de larmes, inhibe la salivation, augmente la transpiration, entraîne une pilo-érection, accélère le cœur et la respiration, dilate les bronches, augmente la tension artérielle, ralentit les fonctions digestives, mais stimule la production d'insuline par le pancréas. Le système parasympathique, au contraire, prépare au repos, à la digestion, stimule l'appétit sexuel, l'érection, bien que l'orgasme dépende du système sympathique. Son neurotransmetteur est l'acétylcholine. D'autres réponses hormonales vont survenir plus tard, en particulier la sécrétion de cortisone, impliquée dans le stress.

Attention, stress émotionnel !

Des études du stress émotionnel provoqué par la musique ont été réalisées sur Herbert von Karajan lui-même dans sa fondation qui réunissait des chercheurs en physiologie et en musique. Pour cela, une série d'appareils a notamment enregistré ses pulsations cardiaques, sa pression artérielle, son rythme respiratoire et sa résistance cutanée dans différentes circonstances : lorsque la tour de contrôle de Salzbourg lui a demandé de redécoller en urgence avec son Falcon privé alors qu'il avait déjà touché la piste d'atterrissage ; lorsqu'il dirigeait le philarmonique de Berlin en studio ; lorsqu'il a écouté ensuite l'enregistrement. On s'est ainsi aperçu que le rythme cardiaque du maestro s'était à peine accéléré lors de l'incident de pilotage. Les plus grandes manifestations émotionnelles ont été notées lorsque Karajan dirigeait ou écoutait simplement les passages musicaux les plus émouvants, sans lien avec son activité physique pour diriger l'orchestre. Pendant la *Sixième Symphonie* de Malher, son pouls est ainsi passé de cent vingt à cent soixante-douze pulsations par minute au paroxysme de l'émotion musicale. Lors du troisième acte de *Siegfried* de Wagner, sa pression artérielle s'est élevée de quatre points et son pouls accéléré de trente pulsations. Rappelons, dans le même ordre d'idées, que trois chefs d'orchestre se sont effondrés lors de la « Liebestod » (« Mort d'amour ») à la fin de *Tristan et Isolde* de Wagner, l'un des morceaux les plus bouleversants jamais composés.

Devant un visage menaçant, notre amygdale peut s'activer et déclencher une réaction de peur même dans une partie du champ visuel rendue aveugle à la suite d'une lésion cérébrale. Pareillement, un rat privé de cortex auditif sera toujours effrayé par un son antérieurement associé à un stimulus négatif, mais également par des sons proches, ayant perdu la discrimination auditive fine. De la même façon, on sait que l'homme peut éprouver du plaisir et des émotions musicales même s'il est amusique. Isabelle R., la patiente d'Isabelle Peretz, qui a perdu la possibilité de reconnaître la musique à la suite de lésions bitemporales, ressent toujours de la tristesse en entendant l'« adagio » d'Albinoni et s'exclame : « C'est triste *comme* l'adagio d'Albinoni ! » Elle continue d'ailleurs d'aimer et d'écouter de la musique pour les émotions ressenties. En revanche, que nos amygdales soient détruites et non seulement nous n'aurons plus peur des serpents, mais nous pourrons écouter sans sourciller des musiques dissonantes, voire effrayantes[1].

L'amygdale, par son activation, inhibe et protège l'hippocampe, si important pour la mémoire, mais si fragile. Nous avons vu que ses neurones peuvent s'atrophier dans des conditions défavorables de stress. De même, une grande frayeur peut engendrer un oubli des circonstances qui l'ont provoquée, mais l'angoisse réapparaîtra sans raison apparente dans des circonstances analogues, confirmant les théories de Sigmund Freud sur les névroses et le refoulement. Pourtant, Freud ne prenait aucun plaisir à écouter de la musique. À l'heure du concert, dans les salons des grandes familles viennoises qui l'invitaient, il continuait de parler pendant que les musiciens jouaient. Et, lorsque la maîtresse de maison s'en inquiétait, il admettait, conciliant, que les musiciens pouvaient continuer leur morceau : cela ne le dérangeait pas !

NANNI MORETTI ET LA MUSIQUE CONSONANTE

Inversement, lors de l'écoute d'une musique plaisante, l'amygdale se désactive, ouvrant la porte aux émotions agréables, à leur mémorisation. Vous ne serez pas surpris de savoir qu'elle est également reliée au noyau accumbens et au circuit du plaisir. Lorsque nous avons glissé sur le toboggan du cortex moteur primaire, nous avons traversé vers la fin, juste avant d'arriver dans l'aire de Broca, une zone dédiée aux mouvements de l'appareil phonatoire – l'opercule rolandique. L'écoute d'une musique agréable va entraîner une activation bilatérale de cette région, au niveau de la représentation du larynx. Cette zone, qui s'active habituellement au cours du chant, va donc être stimulée par le simple fait d'entendre une musique plaisante, comme dans le cadre des circuits de neurones miroirs. Il n'est pas impossible qu'elle s'active sous l'influence du nucleus accumbens, lequel stimule d'autres zones impliquées dans les émotions et la préprogrammation motrice en particulier du chant comme l'insula, au plus profond du lobe temporal. Cela pourrait constituer une explication au « fredon » incoercible de certains pianistes qui ne peuvent s'empêcher de chanter en jouant, au grand désespoir des ingénieurs du son, tel Glenn Gould ou Keith Jarret. Dans le cas de Gould, Gérard Abrial pense qu'il s'agissait aussi d'une manière de s'isoler du public si anxiogène pour lui, bien que ces vocalises aient persisté après la fin de sa carrière publique. Le cortex auditif primaire sera également suractivé, comme si la personne dressait l'oreille pour écouter plus attentivement le morceau plaisant et « montait le volume ». La mémoire de travail dans le cortex préfrontal va également être sollicitée, tentant de mémoriser l'air si captivant. Tout se passe comme si la musique plaisante entendue méritait d'être écoutée avec attention, retenue, imitée et chantée avec bonheur pour la plus grande satisfaction du circuit de la récompense.

Dans l'opéra d'Offenbach d'après les *Contes fantastiques* d'Hoffmann, le diabolique docteur Miracle fascine Antonia, une jeune fille, en lui jouant un air de violon d'une irrésistible beauté. Elle se met alors à chanter, envoûtée par la musique, chanter jusqu'à l'épuisement, jusqu'à en mourir, comme les souris de Olds et Milner à force de s'autostimuler les circuits du plaisir, et le docteur Miracle disparaît dans un ricanement, son forfait accompli. Dans un registre moins dramatique, Nanni Moretti, dans *Journal intime*, prix de la mise en scène à Cannes en 1994, arrive à Lipari dans les Éoliennes, cherchant un coin tranquille pour écrire. Il entre dans un snack-bar et commande « un' panino mozarella-pommodoro, grazie ». La télévision diffuse *Anna*, un vieux film en noir et blanc, sur la RAI due qui attire son regard. Quelques percussions cubaines, puis apparaît Sylvana Mangano, radieuse, qui danse et chante *El Negro Zumbon*, un mambo de Perez Prado de 1951 – qui sera repris par le groupe Pink Martini sur l'album *Hang on Little Tomato* en 2004. Nanni Moretti, lunettes de soleil sur les yeux, s'avance vers l'écran et se fige comme hypnotisé. Il écoute, voit les œillades, la danse et les cuisses de la Mangano, rendues célèbres par le film *Riz amer*. Il se met à chantonner et progressivement à reproduire tous les mouvements de la chorégraphie avec de plus en plus d'ampleur et de bonheur sur le visage, attrapant au passage son verre de jus de tomate, découvrant en même temps que Giacomo Rizzolatti les joies des neurones miroirs.

Mémoire et musique

Nous avons vu l'importance du cerveau émotionnel et les liens étroits entre sa représentante principale, l'amygdale, et le système de mémorisation impliquant l'hippocampe. Le but des émotions, comme celui de la mémoire, est adaptatif : mémorisation d'une émotion comme réponse adaptative associée à un contexte donné ; modulation de la vivacité des souvenirs d'un événement en fonction des émotions qui l'ont accompagné.

LE JEUNE HERBERT VON KARAJAN

Les émotions peuvent perturber le rappel des souvenirs, tant par leur intensité que par leur faiblesse, entraînant alors un relâchement d'attention : c'est le trou de mémoire. On pense à Wagner dirigeant le prélude de *Tristan* en 1871 et au jeune Karajan dirigeant Wagner en 1939 devant Hitler. Pour prouver son talent et sa supériorité sur son rival et aîné le chef berlinois Wilhelm Furtwängler, Karajan, à son habitude, dirige sans partition. Hélas, le miracle n'a pas lieu : *Das Wunder Karajan*, comme l'appellent les journalistes, trop ému, oublie de donner le signal aux « maîtres chanteurs de Nuremberg » qui restent muets. On doit baisser le rideau sous le regard haineux du Führer qui voit ainsi saboté son opéra préféré. Karajan, « le petit K », comme l'appellera désormais Furtwängler, sera banni par les descendants de Wagner, mais sauvé par Goering qui l'adore. Il devra attendre 1951 pour diriger à Bayreuth… *Les Maîtres Chanteurs* ! De même, alors qu'il joue une sonate à New York avec Alfred Cortot, l'altiste Maurice Vieux, ému, perd un soir de concert le fil du morceau. Il se penche discrètement vers le pianiste et l'interroge : « Où sommes-nous ? », et celui-ci facétieux lui répond : « À Carnegie Hall. » Rassuré sur sa situation dans l'espace, la mémoire musicale revint alors à l'altiste !

Le film *Shine* de Scott Hicks retrace la vie du pianiste australien David Helfgott, merveilleusement interprété par Geoffrey Rush, qui a reçu l'oscar du meilleur acteur en 1996 pour ce rôle. Fils d'un juif polonais dont la famille a été décimée pendant la guerre, David montre dès l'enfance des dons exceptionnels pour le piano mais sera écrasé par son père, tyrannique et violent. Invité au Collège royal de musique de Londres, il peut enfin jouer le fameux *Troisième Concerto en ré mineur* de Rachmaninoff avec orchestre et donne l'interprétation de sa vie. Malheureusement, on connaît les effets incontrôlables du « Rach 3 » et, au milieu du morceau, l'émotion le submerge. D'où l'activation du système nerveux sympathique, la sécrétion d'adrénaline (le pianiste transpire en abondance, frisonne, son cœur s'accélère), la domination du système nerveux parasympathique qui prend le dessus (il salive, le regard dans le vague, et perd connaissance, basculant dans la psychose). Les scènes suivantes le montrent à l'asile psychiatrique traité par électrochocs. La musique pourtant le sauvera et Helfgott pourra reprendre une activité pianistique qui le protégera de la schizophrénie.

DU MISERERE *D'ALLEGRI À LA SONATE DE VINTEUIL*

On connaît le côté affectif de Mozart qui, à trois ans, recherchait sur le clavecin familial les « notes qui s'aiment » et s'accordent. Lorsqu'il réussit à mémoriser le *Miserere* d'Allegri, motet à neuf voix et qui dure quinze minutes, après une seule écoute à la chapelle Sixtine le 11 avril 1770, il a quatorze ans et traverse une des périodes les plus heureuses de sa vie. Mozart n'est jamais aussi comblé que lorsqu'il doit composer un opéra (la seule chose que son père ne lui ait jamais apprise !) et l'opéra, c'est l'Italie !

Les Mozart père et fils sont donc repartis sur les routes, à la recherche d'un contrat ou d'un emploi dans une cour, laissant pour la première fois épouse et sœur à Salzbourg. La tournée est triomphale : Vérone, Mantoue acclament le génie. Milan est en plein carnaval et choisit très vite Mozart pour la commande d'un opéra pour l'année suivante. Ce sera *Mithridate* d'après Racine. Wolfgang exulte et italianise pour la première fois son prénom Gottlieb en Amadeo l'« aimé de Dieu ». Ses lettres à sa mère et à sa sœur Nannerl fourmillent de jeux de mots et respirent la joie de vivre.

La mission est accomplie, mais les Mozart ont d'autres projets en tête. Ils veulent aller jusqu'à Naples et tenter leur chance à la cour, voir Pompéi et Herculanum qui viennent d'être découvertes, rencontrer le pape. Ils sont reçus à Bologne par le comte Pallavicini qui pourra les recommander à un cardinal qui les introduira auprès du Saint-Père. Mozart va rencontrer le musicien qu'il place au-dessus de tous les autres, y compris son père : le padre Giambattista Martini. Ce franciscain mathématicien, spécialiste du contrepoint, de très grande renommée, est un rat de bibliothèque, mais il tiendra néanmoins à venir écouter Mozart et sera enchanté de ses prestations au clavecin. L'admiration sera réciproque entre les deux musiciens. Avant de partir pour la capitale, les Mozart effectuent une dernière escale à Florence et sont reçus dans les salons de la délicieuse poétesse Corilla qui inspirera Mme de Staël pour son héroïne romantique Corinne et accueillera Casanova qui, impressionné, n'osera rien tenter. Mozart, qui vit le plus souvent entouré de personnes bien plus âgées que lui, y rencontre un violoniste virtuose de quatorze ans, avec qui il se lie d'une très profonde amitié. Les deux prodiges, parfaitement accordés, vont improviser ensemble avec bonheur plusieurs jours de suite.

Mais, mieux encore que Mozart, celui qui a le mieux décrit la réactivation de la mémoire, à la recherche du temps perdu, par l'intermédiaire des émotions, en particulier celles déclenchées par la musique, est sans conteste Marcel Proust. Dans *La Recherche*, la fameuse « petite phrase » de la sonate de Vinteuil revient périodiquement tourmenter l'amygdale de Swann, activant involontairement de son tempo de berceuse sa mémoire émotionnelle, comme le petit pan de mur jaune dans la *Vue de Delft* de Vermeer qui causera la mort de Bergotte ou le goût de la madeleine pour Proust lui-même : « Par là, la phrase de Vinteuil avait [...] épousé notre condition mortelle, pris quelque chose d'humain qui était assez touchant. Son sort était lié à l'avenir, à la réalité de notre âme dont elle était un des ornements les plus particuliers, les mieux différenciés. Peut-être est-ce le néant qui est le vrai et tout notre rêve est-il inexistant, mais alors nous sentons qu'il faudra que ces phrases musicales, ces notions qui existent par rapport à lui ne soient rien non plus. Nous périrons, mais nous avons pour otages ces captives divines qui suivront notre chance. Et la mort avec elles a quelque chose de moins amer, de moins inglorieux, peut-être de moins probable. » Rappelons ici que Proust a lui-même « composé » la sonate de Vinteuil à partir de souvenirs émotionnels ressentis en écoutant Schubert, Wagner, César Franck, Camille Saint-Saëns et Fauré.

DU SADISME DES NEUROLOGUES

Au début du XXe siècle, le docteur Édouard Claparède de Genève examine une patiente qui, à la suite d'une lésion cérébrale, est devenue amnésique. Celle-ci oublie tout au fur et à mesure et ne le reconnaît même pas s'il revient la voir dans sa chambre quelques minutes après en être sorti : elle lui serre la main comme si elle le voyait pour la première fois. Un jour, il dissimule un clou dans sa paume et la pique lorsqu'elle le salue. La femme retire promptement sa main sous l'effet de la douleur et refusera de la lui serrer de nouveau, sans savoir pourquoi et sans le reconnaître pour autant.

Comme le montre bien cette histoire, l'exercice d'une volonté consciente n'est pas nécessaire à l'action de la mémoire. Le rappel conscient ne représente même qu'une petite partie, la face émergée de l'iceberg, des traces laissées en mémoire par l'expérience vécue. Deux systèmes de mémoire différents sont, en effet, impliqués dans le souvenir d'une situation émotionnelle : d'une part, la mémoire implicite de l'émotion, non véhiculée par le langage, inconsciente, robuste, ancienne, primitive et impliquant les circuits de l'amygdale ; d'autre part, la mémoire explicite véhiculée par le langage, sophistiquée mais plus fragile, et mettant en jeu le système de l'hippocampe. Une fois décodées dans le cortex cérébral, les informations fournies par les sens convergent vers l'hippocampe après passage dans le cortex entorhinal, sorte d'entonnoir qui permet l'arrivée des souvenirs dans le cerveau et cible privilégiée de la maladie d'Alzheimer qui l'atteint en premier.

La mémoire à long terme comprend, d'une part, les mémoires dites déclaratives, c'est-à-dire médiées et dépendantes du langage, donc plus fragiles – ce sont la mémoire épisodique ou autobiographique (« je me souviens ») et la mémoire sémantique, culturelle (« je sais ») – et, d'autre part, les mémoires procédurales (« je sais faire »), plus solides, en partie inconscientes, automatiques, apprises par observation et imitation et ne reposant pas sur des processus langagiers. Chez les personnes âgées, la mémoire à court terme et la mémoire procédurale restent intactes : il suffit de réactiver les conditions de l'apprentissage initial pour se remettre à la pratique d'un instrument de musique.

JE ME SOUVIENS

La mémoire épisodique, « merveilleuse invention de la nature » selon les mots d'Endel Tulving en 1972, permet de remonter le temps et de se souvenir des événements de sa vie dans leur contexte, en particulier spatial. Elle serait le résultat d'une adaptation évolutive au nomadisme, permettant l'orientation dans l'espace. C'est la mémoire autobiographique la moins fiable, la plus subjective et la plus fragile : voyez les divergences, parfois très importantes,

H. M.

En 1953, un patient présentant une épilepsie rebelle est opéré dans le Connecticut. Il a vingt-sept ans et devient célèbre sous les initiales de H. M. L'intervention chirurgicale qui le guérit de son épilepsie le rend amnésique, incapable de former des souvenirs conscients à long terme. Amputé par les chirurgiens de l'hippocampe, des amygdales et des aires de transition voisines. H. M. est incapable de mémoriser de nouveaux souvenirs et les anciens s'arrêtent cinq ans plus tôt (mémoire épisodique). Il conserve, en revanche, la mémoire à court terme, qui se situe donc dans d'autres zones cérébrales, et peut se souvenir pendant quelques minutes de données qu'il oublie ensuite, car elles ne peuvent plus passer dans sa mémoire à long terme. Il se souvient de tout ce qu'il a appris avant, tant au niveau de ses connaissances culturelles (mémoire sémantique) que techniques (mémoire procédurale) et continue par exemple à jouer normalement au tennis. Ses souvenirs anciens, ses connaissances et son savoir-faire acquis avant l'intervention sont donc stockés ailleurs que dans les zones détruites. L'intelligence et le langage sont préservés, mais il ne se reconnaît pas dans un miroir et ignore son âge. D'autres cas pour lesquels les amygdales ont été épargnées montrent que le système hippocampique, première victime de la maladie d'Alzheimer, est nécessaire à la formation des souvenirs, mais pas à leur stockage à long terme qui se fait en grande partie dans le cortex cérébral.

dans les comptes rendus des témoins d'un accident ou d'un hold-up pour vous en rendre compte, ou écoutez la même histoire racontée par la même personne, remaniée et remodelée en fonction du contexte et à différents moments de sa vie. Dernière-née des systèmes mnésiques, elle constitue en quelque sorte une métamémoire qui permet d'accéder à la conscience du fait que l'on peut se souvenir de quelque chose. Ultrasophistiquée, elle sera la première atteinte par l'âge et au cours de la maladie d'Alzheimer, tout au moins en ce qui concerne les souvenirs récents, les plus anciens étant mieux conservés, bien consolidés et parfois « sémantisés ». Ils surgissent avec plus d'acuité et parfois envahissent compulsivement le présent (radotage ?). Les souvenirs de la période « adulte jeune », chargés émotionnellement, sont les plus riches et les plus évoqués. Les émotions provoquées par la musique peuvent aider à récupérer les souvenirs autobiographiques par un effet « madeleine de Proust », les morceaux écoutés constituant autant d'indices pour partir à la recherche du temps perdu.

Susan Eschrich et son équipe ont étudié les liens entre la mémoire épisodique et les émotions pour la musique. Après avoir fait écouter trente extraits de pièces pour clavier de Jean-Sébastien Bach, d'une durée de trente à soixante secondes, issues des *Suites françaises*, des *Suites anglaises*, des *Inventions* et du *Clavier bien tempéré*, ils ont demandé aux sujets de l'expérience de classer les extraits en fonction de leur caractère stimulant et de l'émotion ressentie, du désir d'en entendre plus. Deux semaines plus tard, nouvelle audition combinant des extraits entendus la première fois à de nouveaux extraits intercalés : il s'agit, cette fois, de reconnaître les morceaux déjà entendus. Les chercheurs ont conclu à cette occasion que les morceaux les plus stimulants étaient manifestement les plus faciles à identifier, devançant les pièces les plus émouvantes, sauf chez les personnes déjà mélomanes qui ont de meilleurs souvenirs émotionnels.

JE SAIS

La mémoire sémantique « je sais » est la mémoire des faits et des concepts, la culture, les connaissances générales apprises, répétées et retenues au gré de l'existence et de la curiosité, plus fiable que la précédente, en perpétuel remaniement. Elle permet de se représenter un objet sur une simple description, sans l'avoir jamais vu, en se référant aux connaissances déjà acquises – imaginer par exemple une musique par rapport à d'autres déjà connues ou par rapport aux émotions qu'elle suscite chez un critique musical ou un ami mélomane, y compris dans d'autres registres sensoriels, à condition d'avoir les prérequis. Par exemple, dans *Les Voix du Gaou*, 2008 : « Ben Harper and the innocent criminals : nouvel album *Lifeline*, un chef-d'œuvre bouleversant aux textes d'une rare beauté et une sincérité avec des grooves imparables et une énergie naturelle qui évoquent les meilleurs opus d'Otis Redding, Bill Withers et autres Rolling Stones, période Beggars Banquet… »

J'AI LA MÉMOIRE QUI FLANCHE

Au cours du vieillissement c'est le rappel actif (libre) des connaissances culturelles qui s'altère : « Que chante Sylvana Mangano dans le film *Anna* ? – Je l'ai sur le bout de la langue ! » Heureusement, par associations d'idées, la bonne réponse revient souvent, surtout si on fournit des indices (rappel indicé) – par exemple : « On voit l'extrait du film dans *Journal intime* de Nanni Moretti, le groupe Pink Martini a repris le titre, c'est un mambo. » La reconnaissance, passive, sera dès lors plus facile : « Je connais cet air, je peux le chantonner, comme Nanni Moretti ! » L'impression de familiarité fait partie de la mémoire sémantique et, pour la musique, active la partie interne des lobes frontaux et le pôle temporal antérieur gauche[2]. Lors d'une seconde écoute, des airs que l'on vient d'entendre seront plus facilement reconnus au milieu d'autres extraits qui n'ont jamais été écoutés auparavant : une trace en persiste dans la mémoire, même inconsciente (effet d'amorçage). Il faut savoir qu'une personne atteinte d'Alzheimer est encore capable de solliciter sa mémoire musicale, de fredonner un air connu, de retrouver quelques paroles d'une chanson ancienne, voire en apprendre de nouvelles alors même qu'elle a perdu le langage[3].

Comment retenir ?

Les marges des manuscrits enluminés fourmillent de calembours visuels et autres exhortations à l'art de la mémoire. On peut ainsi voir des poissons accrochés les uns aux autres entourés d'hameçons qui pendent en bas de page, ou des bretzels enlacées les unes aux autres qui entourent le texte. Les érudits devaient trouver des moyens pour retenir ce qu'ils avaient lu. Ils mettaient également un point d'honneur à apprendre par cœur, à digérer les livres. Ils voulaient en être imprégnés plutôt que de les voir croupir sur les rayonnages d'une bibliothèque. L'une des techniques, employée par saint Thomas d'Aquin et qui lui a permis sur la fin de sa vie de dicter de mémoire les Évangiles, les commentaires des Pères de l'Église et les siens propres dans l'ordre, consistait à se rappeler les éléments les uns après les autres, chacun amorçant le souvenir du suivant comme les maillons d'une chaîne. L'ensemble qui représente quatre volumes se nomme d'ailleurs *Catena Aurea*, c'est-à-dire « la chaîne d'or ».

L'ALLÉGORIE DE LA PRUDENCE DU TITIEN

Le but de la réactivation de la mémoire par les émotions, en particulier musicales, n'est pas seulement de faire surgir quelques lointains souvenirs mélancoliques empreints de nombrilisme. Les philosophes depuis Aristote dans son *Éthique*, repris par saint Thomas d'Aquin, ont vu dans la mémoire, bien avant les neurologues, un processus *adaptatif*. C'est Cicéron qui fait passer l'art de la mémoire d'un simple exercice de rhétorique d'orateur à une éthique, une science morale. C'est la vertu de la prudence qui constitue une dynamique : « Je me souviens du passé (mémoire), pour agir dans le présent avec prudence (intelligence) et prévoir le futur (prévoyance). » En fonction des connaissances émotionnelles inconscientes et explicites conscientes disponibles dans mes mémoires, je donne un sens au présent. Je peux alors tenter d'élaborer une stratégie (consciente ou pas) pour m'y adapter le mieux possible, tant pour mon équilibre que pour ma survie, et limiter les effets des perturbations rencontrées.

Le Titien a merveilleusement illustré cette idée dans son *Allégorie de la prudence*. Sur ce tableau, on voit à droite le profil d'un jeune homme qui regarde vers la lumière, il surmonte une tête de chien : c'est le petit-fils adoptif du Titien, il a vingt-cinq ans. Au centre, le portrait d'un homme mûr, de face, il porte une barbe noire ; il est placé au-dessus de la tête d'un lion : c'est le fils. À gauche, dans l'ombre, le profil d'un vieillard à barbe blanche : c'est le peintre lui-même, il a soixante-quinze ans. Au-dessus, une inscription : *Ex praeterito, praesens prudenter agit, ni futura actione deturpet* (« Informé du passé, le présent agit avec prudence, de peur qu'il n'ait à rougir de l'action future »). Le portrait du vieillard est placé au-dessus de la tête d'un loup. Les trois animaux ainsi réunis évoquent Pétrarque : « Mais voici près du Dieu un monstre inconnu, immense, / Dont la face à trois gueules se tourne vers lui, / Paisible et amicale. À droite, il a l'apparence d'un chien, / Mais, à gauche, d'un loup sombre et vorace ; / Au milieu c'est un lion ; et un serpent ondulant/Réunit ces têtes qui symbolisent la fuite du temps. » [*Africa*, III, 156 *et sq*.]

La mémoire qui permet de s'adapter aux perturbations du présent en se souvenant des expériences passées est essentiellement et paradoxalement tournée vers le futur. Le psychiatre Michel Delage écrit : « La résilience suppose le maintien ou la reprise du mouvement temporel dans lequel s'inscrit le cours de notre vie, de sorte qu'une trajectoire existentielle nous oriente toujours vers un futur articulé au passé à travers le présent. » La neurobiologiste Françoise Schenk souligne, pour sa part, « les défaillances de la mémoire qui accompagnent le vieillissement doivent être replacées dans le contexte plus général de la transformation des stratégies adaptatives au cours de la vie ». La possibilité de réactiver les traces d'une émotion vécue, par exemple par la musique, peut limiter les effets du déclin de la mémoire *explicite*, en particulier épisodique, et faire réapparaître des stratégies comportementales anciennes.

LES PAPILLONS

Le prix Nobel Gerald Edelman parle de « remémoration du présent ». Le présent vécu est une construction qui dépend des informations fournies par les sens sur les événements actuels – « j'entends une musique ». Ces informations vont être confrontées aux expériences passées mémorisées, d'une part, sur le plan autobiographique et culturel – « Je l'ai déjà entendue, elle m'est familière, je peux la fredonner, le titre me revient : c'est *What a Wonderful World* de Louis Amstrong » – et, d'autre part, sur le plan émotionnel – « Pourquoi mon cœur s'emballe-t-il, pourquoi ces larmes ? Ce slow est magnifique et puis, c'est vrai, le soir de notre mariage, nous avons inauguré le bal en dansant ensemble sur cet air, nous étions sur une goélette à quai devant la mairie de Marseille. » Un comportement adapté, une réaction peuvent alors être déclenchés – « Et si on montrait la vidéo du mariage aux enfants ? Et si on invitait quelques amis présents ce soir-là ! Et si on dansait ? »

Même si les perceptions sensorielles sont altérées, même si la mémoire explicite est déficiente, la mémoire émotionnelle, plus robuste, survit, comme pour la patiente de Claparède. Et si l'on imaginait que l'on dansait ? Et si l'on se contentait de ressentir ce que l'on ressent quand on danse avec sa promise, le soir de ses noces, en écoutant Satchmo ? Pourrez-vous longtemps nous motiver et nous donner, pour paraphraser Céline, « assez de musique dans la tête pour faire danser notre vie » ? À la fin des *Papillons*, lorsque l'horloge a sonné et que le bal est terminé, Robert Schumann arpège un accord, qui est tenu, puis progressivement relâché, une note après l'autre, jusqu'à ce qu'il n'en reste plus qu'une.

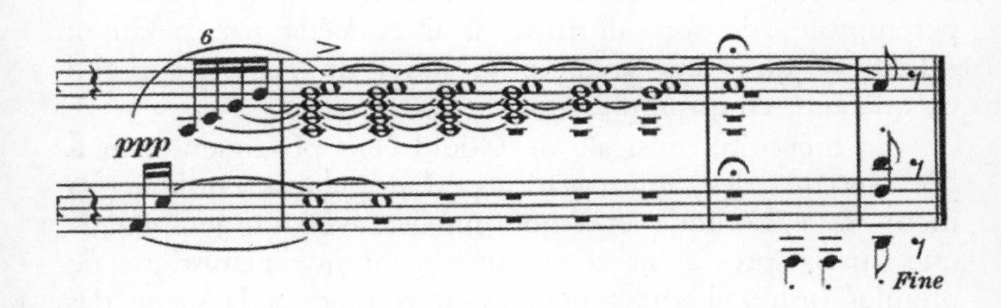

Cognition et musique

> « À quoi te sert, Socrate, d'apprendre à jouer de la lyre puisque tu vas mourir ?
> – À savoir jouer de la lyre avant de mourir ! »
>
> PLATON.

La cognition regroupe les divers processus mentaux allant de la perception à l'action sur le monde environnant, en passant par la mémorisation, les émotions et leurs interactions avec le raisonnement, la pensée, la conscience – conscience du monde qui nous entoure, conscience des autres et conscience de soi.

Glenn Gould et l'entraînement mental

Glenn Gould, le célèbre pianiste canadien disparu il y a vingt-cinq ans, disait : « Tout ce qu'il faut savoir pour jouer du piano s'apprend en une demi-heure, à condition de disposer d'une mémoire parfaite et d'une concentration absolue. » Conscient du caractère provocateur et péremptoire de son affirmation, il concéda par la suite : « Tout ce qu'il faut savoir pour jouer du piano s'apprend en quarante-cinq minutes… »

La mémoire musicale de Gould était prodigieuse, mais elle suscite des interrogations. Le pianiste utilisait sa mémoire épisodique et émotionnelle, avec un jeu extatique, mais, après avoir acquis une technique pianistique de premier ordre, il jouait peu, ayant renoncé à la scène dès l'âge de trente-deux ans. Il se concentrait essentiellement sur la lecture des partitions, passant plus de temps à promener son chien qu'assis devant son clavier, activant paradoxalement sa mémoire sémantique (« je sais ») aux dépens de sa mémoire procédurale (« je sais faire »), pourtant considérée comme plus solide. En 1953, le philosophe viennois Ludwig Wittgenstein soulève un problème similaire : « Quand je lève mon bras, mon bras se lève. Et le problème surgit : que reste-t-il si je soustrais le fait que mon bras se lève du fait que je lève mon bras ? » Outre sa possible rencontre avec le jeune Adolph Hitler dans le lycée de Linz qu'ils fréquentaient à la même période et qui fit trembler le monde lorsqu'il se mit à lever le bras droit, Wittgenstein pense très certainement à son frère Paul. Ce dernier, pianiste virtuose, a perdu le bras droit sur le front russe lors de la Première Guerre mondiale. Il poursuit pourtant sa carrière de concertiste en interprétant un répertoire adapté, commandé tout exprès par sa très riche famille aux plus grands compositeurs de l'époque :

Maurice Ravel créera pour lui son célèbre *Concerto pour la main gauche*, bien qu'il n'apprécie pas son interprétation ; Benjamin Britten et Richard Strauss lui écriront des pièces et Prokofiev composera son *Quatrième Concerto* à son intention.

Quand Gould joue du piano, ses doigts touchent le clavier. Et le problème soulevé par Wittgenstein se reformule comme suit : que reste-t-il si l'on soustrait le fait que ses doigts touchent le clavier du fait qu'il joue du piano ? De récents travaux donnent une réponse : le cortex moteur « primaire », sur lequel nous avons déjà glissé, ne mérite pas son appellation si péjorative, car il présente notamment une possibilité de plasticité. Si vous êtes amputé d'un doigt, d'une main, ou d'un membre, sa représentation dans votre cerveau s'efface peu à peu. En outre, il se produit une extension des zones proches et l'aire dévolue au coude, à l'épaule, au visage colonise le territoire vacant (le phénomène est réversible : après la greffe d'une main, l'IRM fonctionnelle montre la réapparition de l'empreinte cérébrale de cette dernière). Des douleurs de membre fantôme peuvent alors apparaître suite à cette réorganisation corticale : le membre absent devient douloureux comme s'il était toujours présent. Toutefois, ces douleurs atroces peuvent être réduites par restauration partielle de la représentation cérébrale normale grâce à l'implantation de prothèses électriques ou la méthode d'entraînement visuo-moteur. Cette technique étonnante, inventée par le célèbre neurologue Vilayanur Ramachandran de San Diego et perfectionnée en 2003 par Giraud et Sirigu de l'Institut des sciences cognitives de Lyon, consiste, par un jeu de miroirs, à tromper la perception du cerveau : l'image du membre sain est transférée à la place du membre paralysé. Le cerveau croit voir à nouveau la main ou le membre amputé en mouvement. La supercherie aboutit à la réextension de la zone corticale atrophiée comme si le patient était guéri !

ENTRAÎNEMENT MENTAL ET ENTRAÎNEMENT PHYSIQUE

L'entraînement moteur sculpte le cerveau des musiciens. Les professionnels ayant une longue pratique instrumentale bénéficient de représentations privilégiées correspondant aux doigts les plus utilisés. L'entraînement mental, qui consiste à imaginer une action sans l'exécuter, par exemple une descente à ski, est connu depuis les années 1960 par les sportifs. Son action est prouvée sur la force de la contraction musculaire, la rapidité et la précision du mouvement ; il permet la réduction de la variabilité et l'augmentation de la qualité des mouvements dans le temps. Cette technique a rapporté de nombreuses médailles d'or aux jeux Olympiques de Grenoble en 1968. Quarante ans plus tard, les progrès des neurosciences permettent enfin d'expliquer cette constatation d'abord empirique :

— une activation cérébrale au niveau du cortex moteur primaire a été prouvée par IRM fonctionnelle lorsque l'on imagine simplement que l'on active ses doigts sans les bouger[4] ;

— l'excitabilité de cette zone croît de la même façon chez un groupe de personnes pratiquant le piano de manière intensive pendant cinq jours que chez un autre groupe qui imagine jouer du piano et se contente de regarder le clavier[5] ;

— une similarité existe entre l'entraînement mental et l'entraînement physique. Dans les deux cas, on observe une première phase avec une augmentation de l'activité des zones du cerveau impliquées dans l'élaboration et le contrôle des programmes moteurs (le cortex prémoteur et le cervelet) ainsi que du lobe pariétal. Ce phénomène disparaît progressivement dans une seconde phase, remplacé par l'activation de régions plus profondes impliquées dans les mouvements automatisés (les ganglions de la base) et les comportements, en particulier les émotions (cortex préfrontal : orbito-frontal et gyrus cingulaire antérieur)[6] ;

— il est possible enfin d'augmenter volontairement le degré d'activation de son cortex sensori-moteur durant une action manuelle imaginée en le voyant « s'allumer » sur écran grâce à l'IRM fonctionnelle[7].

L'hypothèse de Marc Jeannerod selon laquelle se représenter une action et l'exécuter sont fonctionnellement équivalents se confirme et fournit une explication de la mémoire musicale exceptionnelle de Glenn Gould par le biais de la cognition motrice, d'ailleurs pressentie par ses biographes : « Lorsqu'on le regarde jouer, écrit ainsi Michel Schneider, on est surpris de l'immédiateté de son approche, comme si ses doigts ne touchaient plus les touches, mais la musique » ; « On a l'impression, note Bruno Monsaingeon, qu'un mécanisme cérébral est en contact direct (sans contact physique) avec le clavier ». Glenn Gould lui-même parlait de l'« incorporabilité de la musique » : « J'ai besoin d'avoir le sentiment que ce ne sont pas mes doigts qui jouent, que ceux-ci ne sont rien d'autre que de simples extensions indépendantes qui se trouvent être en contact avec moi à un instant précis. Il me faut trouver un moyen de me distancier de moi-même tout en étant complètement engagé dans ce que je fais. »

Deux éléments dans la biographie de Glenn Gould peuvent expliquer le développement de cette capacité : la mère du pianiste ne voulait pas qu'il joue plus de quatre heures par jour alors qu'il n'était que musique. Il devait donc se réfugier dans son imagination pour poursuivre son entraînement ; Gould rapporte qu'un jour la femme de ménage passait l'aspirateur alors qu'il répétait et que le bruit de l'engin couvrit le son du piano. Il se rendit alors compte qu'il continuait à percevoir les notes de musique dans sa tête et que le contact de ses mains avec le clavier devenait superflu.

L'imagerie mentale de Glenn Gould

Profondément affecté par le décès de sa mère, Gould livre dans *Journal d'une crise* ses efforts pour restaurer son imagerie mentale entre septembre et novembre 1977 : « À partir du 5 octobre, une nouvelle image commence à affleurer, une sorte de conséquence mentale de l'attention particulière portée à l'élévation et à la stabilité des coudes… Elle apparaît immédiatement dotée d'un naturel, d'une aisance et d'une spontanéité extraordinaires quoique je me sois (délibérément) abstenu de jouer du piano jusqu'à la nuit du 7 octobre…

« Suite à la mise en pratique de cette "image" du mécanisme de contrôle, n'apparaissent ni flexion volontaire des doigts ou de la main ni saillie, élévation ou abaissement des articulations… À partir du troisième jour pourtant, l'image obtenue commence à s'estomper. Domine alors une sensation fatale de note à note, qui fait qu'une fois à l'instrument, il devient quasiment impossible de jouer… J'ai beaucoup joué jambes croisées, ce qui… fait ressurgir des souvenirs de concerts aux alentours de 1962 où une telle position paraissait essentielle au contrôle et à la stabilité de l'image mentale, mais permet aussi d'intensifier l'image spontanée du clavier et de renforcer la capacité du dos (en tant que bloc) à se mouvoir librement d'avant en arrière et en rapport avec les nécessités de flexion digitale. » Finalement, le pianiste trouve la solution le 14 novembre en décidant d'ajouter (mentalement) de la pression sur la flexion des pouces : « Le résultat est spectaculaire : il redevient possible de jouer avec une vitesse et un brio qui avaient été absents de mon image mentale depuis plusieurs mois… Lorsqu'il s'est ensuite agi de jouer, ce qui se dégagea fut la vision d'une structure parfaitement intégrée. »

À l'automne 1958, Glenn Gould se rend en Israël pour une série de concerts. Il doit jouer sur un piano qui l'horripile. Il le traite de « monstruosité », le juge « complètement pourri » et le compare à une « voiture folle » qui va où elle veut. Gould capitule lors d'une répétition du deuxième concerto de Beethoven et n'arrive plus à jouer quoi que ce soit, y compris la gamme de *do* majeur. Il s'enfuit à Herzliyya au bord de la mer et s'isole dans sa voiture au milieu des dunes de sable, imaginant l'après-midi entière qu'il joue Beethoven chez lui sur son vieux Chickering, le piano de son enfance. Son interprétation le soir même avec l'orchestre philharmonique d'Israël est exceptionnelle, malgré le terrible instrument : « J'étais surpris, un peu effrayé, raconte-t-il, puis je compris que c'était l'image tactile autre qui me guidait, me donnait avec l'instrument une autre relation de prendre et donner… Ce n'est pas avec les doigts que l'on joue du piano, mais avec le cerveau », conclut-il. Vladimir Horowitz « roi des pianistes », Arthur Rubinstein et vraisemblablement Martha Agerich et Hélène Grimaud possèdent également cette technique.

Au-delà de ces cas, la répétition par l'imagerie mentale motrice pourrait avoir un intérêt thérapeutique dans les accidents vasculaires cérébraux pour activer des mécanismes substitutifs, compensant la paralysie d'un membre ou d'un hémicorps, et dans toute immobilisation prolongée d'origine traumatique, par exemple lors d'un traumatisme osseux (réduction de la faiblesse et de la maladresse motrice après une fracture) en maintenant l'activité cérébrale corticale, réduisant ainsi la durée de la période de récupération. Il est également possible de capter cette activité cérébrale par une électrode à la surface du scalp, ou directement implantée dans l'écorce cérébrale au niveau du cortex moteur primaire. Le signal neuronal, décrypté par un ordinateur, a permis pendant plusieurs mois (après apprentissage) à un tétraplégique de commander une prothèse de membre supérieur, élargissant la très prometteuse voie de recherche des interfaces cerveau/ordinateur qui passionne tout autant les médecins que les informaticiens et les concepteurs de jeux vidéo.

DE CARLOS GARDEL À L'EXTASE

On sait que la mémoire procédurale est robuste et reste longtemps préservée lors du vieillissement : la reprise d'un instrument autrefois pratiqué, le piano par exemple, va réactiver des aptitudes motrices anciennes alors que la personne n'arrive plus à effectuer certains actes plus simples. L'apprentissage d'une danse peut également se révéler bénéfique tant pour le maintien physique que pour l'esprit.

Patricia McKinley de l'Université McGill de Montréal a choisi le tango argentin. Son apprentissage n'est pas des plus facile compte tenu de la variété et de la complexité des pas à assimiler. La chercheuse a recruté trente seniors âgés de soixante-huit à quatre-vingt-onze ans. La moitié d'entre eux ont bénéficié de leçons de tango pendant que l'autre moitié s'adonnait aux joies de la marche à pied. Les danseurs ont pris rapidement de l'assurance et leur comportement s'est modifié. Ils ont abandonné leurs chaussures de tennis et leur tenue de jogging, s'habillant avec plus de recherche. Les femmes se sont maquillées, arborant des bijoux ; les hommes sont devenus assidus. Au bout de dix semaines, les deux groupes avaient progressé au niveau des tests de mémoire, mais les danseurs de tango réussissaient mieux les tests avec des tâches multiples, comme de parler au téléphone en envoyant un e-mail ! Leur équilibre et leur coordination motrice étaient meilleurs, leur risque de chute (et de fracture du col du fémur) diminué, comme si leur cervelet fonctionnait mieux.

Nous avions noté l'activation du cervelet lors des expériences de Lawrence Parsons au Texas avec un pianiste professionnel qui jouait par cœur les yeux fermés le troisième mouvement du *Concerto italien* de Bach dans un PET-scan. Si le rôle du cervelet dans le contrôle de la motricité fine et dans la mémoire procédurale pouvait fournir une explication, il ne permettait cependant pas de comprendre son implication dans l'expérience d'écoute passive des chorals de Bach comportant des erreurs de rythme, de mélodie ou d'harmonie, sinon en lui attribuant une fonction sensorielle et cognitive.

On sait que les personnes présentant une atrophie cérébelleuse souffrent d'une perte de la discrimination auditive fine. On sait aussi que le cervelet est une structure nerveuse très ancienne, impliquée dans le maintien du rythme en musique, pour la marche. Il fait partie du cerveau primitif « reptilien » et joue un rôle dans la synchronisation du vol des oiseaux et du déplacement des bans de poissons. Relié à l'amygdale, il s'active lors de l'écoute de musique plaisante et joue un rôle dans les émotions. Il est également connecté au lobe frontal permettant la planification des actions et le contrôle des pulsions. Il est également impliqué dans l'éveil, l'attention et le sommeil. L'ablation de certaines zones du cervelet provoque un état de rage, tandis que la stimulation électrique de sa structure médiane, le vermis, peut diminuer l'anxiété et la dépression.

En 1986, Larry Weiskrantz, professeur de psychologie à Oxford, a décrit le phénomène du *blindsight* ou « vision aveugle ». Quelqu'un qui présente une lésion d'un lobe occipital dans la zone de réception des signaux visuels perd la vue dans la moitié opposée de son champ visuel. Il devient incapable de reconnaître les objets consciemment, de « voir » ce qui se situe dans ce demi-espace devenu aveugle pour lui. Il peut cependant encore attraper des objets situés dans ce secteur ou être effrayé par la présentation de visages terrifiants qu'il ne voit pourtant plus et dont il n'a même plus conscience. L'explication de cet étrange phénomène résulte de l'existence d'une autre voie visuelle, plus ancienne d'un point de vue évolutif, une « route du bas » qui va directement de la rétine au tronc

Du cervelet à la nuque

Une étude hollandaise[8] a montré en imagerie lors de l'éjaculation, outre l'activation du circuit de la récompense, une intense activité du cervelet (cette dernière était déclenchée manuellement par la compagne des sujets testés) et on ne peut s'empêcher de repenser aux phrénologues qui situaient la bosse du sexe au niveau occipital, aux geishas qui laissent leur nuque à nu, sans maquillage, connaissant l'importance de son pouvoir attractif sur les mâles japonais et, comme le souligne Katell Pouliquen, au mannequin Victoria Beckham qui défile pour Jean-Paul Gaultier la nuque tatouée du *Cantiques des cantiques* – « Je suis à mon bien-aimé, mon bien-aimé est à moi » (son mari, plus prudent, porte le tatouage sur l'avant-bras) – et à la Justine de Sade – « Il me fait pencher la tête sur sa poitrine et, relevant mes cheveux, il observe attentivement la nuque de mon cou. "Oh c'est délicieux ! s'écrie-t-il en pressant fortement cette partie. Je n'ai jamais rien vu de si bien attaché. Ce sera divin"... » Et Dieu sait si le divin marquis si connaissait en matière d'attachements !

cérébral (colliculus supérieur). Cette voie est impliquée dans la localisation d'un objet dans l'espace du champ visuel. Elle permet de tendre la main pour l'attraper ou de tourner les yeux vers lui pour engendrer la réponse comportementale la plus adaptée et cela de façon inconsciente ! Une voie ancienne du même type existe pour le système auditif : la « route du bas » connecte ici directement l'oreille interne au tronc cérébral et au cervelet, sans passer par le lobe temporal supérieur. Elle permet de coordonner et d'orienter directement les mouvements de la tête ou du corps vers un stimulus auditif sans passer par la conscience.

La musique, art de la nuit

Une explication à l'abondance du matériel neuronal pour l'audition par rapport aux autres sens tiendrait dans le fait qu'elle est sollicitée en premier en cas de danger. Dans *Aurore*, Nietzsche fournit une explication par sa conception de la petite musique de nuit : « L'oreille, organe de la peur, n'a pu se développer aussi amplement qu'elle ne l'a fait que dans la nuit ou la pénombre des forêts et des cavernes obscures, selon le mode de vie de l'âge de la peur… À la lumière, l'oreille est moins nécessaire. D'où le caractère de la musique, art de la nuit et de la pénombre. » Le prédateur nocturne est donc littéralement perçu avant d'être entendu ou vu et les connexions avec l'amygdale et le lobe frontal déclenchent une émotion et une motivation qui préparent à l'action et à la fuite (*noli me tangere* !), ou, en d'autres circonstances, à danser le tango !

L'EFFET LAZARE

En cas de vieillissement pathologique, les interventions neuropsychologiques tentent surtout d'optimiser les performances cognitives restantes, en fonction de l'évolution du patient et des capacités préservées, en particulier perceptivo-motrices, en mémoire procédurale. On peut, par exemple, entraîner quelqu'un à apprendre une route nouvelle en la balisant avec des repères fixes. Les ateliers de stimulation cognitive comprennent parfois aussi une musicothérapie « active », avec utilisation d'instruments, reproduction de rythmes ou tentatives de synchronisation motrice sur une activité musicale, apprentissage (toujours possible) de nouvelles mélodies, de paroles[9]. Quelqu'un qui vieillit peut avoir appris par l'expérience à nuancer et à moins subir ses émotions. Sa vie intérieure est plus riche. Il domine mieux ses colères, ses peurs, sa tristesse qu'un esprit immature et gère parfois mieux un stress : c'est la sagesse. Dans un contexte de réduction de la mémoire consciente liée à l'âge ou de réduction de la cognition liée à la maladie, les émotions, amplifiées par exemple par la musique, ne peuvent-elles pour un temps prendre le relais et interagir favorablement avec les mécanismes cognitifs comme elles le font avec la mémoire, en particulier non verbale ? On a pu montrer chez des personnes âgées ayant conservé une bonne mémoire une activation cérébrale différente de celle de personnes plus jeunes. L'activation des régions préfrontales en PET-scan lors des efforts de mémoire épisodique devient notamment plus symétrique, impliquant les deux lobes frontaux, contrairement à ce qu'on observe chez les personnes âgées qui perdent la mémoire et voient l'activité de leur lobe frontal gauche diminuer pour la mémorisation et celle du droit diminuer pour le rappel.

Il semble que les patients atteints de maladie d'Alzheimer débutante recrutent d'autres régions cérébrales que les personnes du même âge, compensant ainsi l'inactivation relative des régions déjà atteintes[10]. Bruce Miller de San Francisco rapporte par exemple des cas de démence, avec atrophie cérébrale fronto-temporale, ayant développé des capacités artistiques musicales (et picturales) au cours de la maladie après la perte de fonction du lobe temporal antérieur gauche, comme si ce dernier avait un rôle inhibiteur vis-à-vis de l'hémisphère droit. À partir de cette hypothèse, Allen Snyder de l'Institut de l'esprit à Sydney a tenté d'inhiber le lobe temporal gauche antérieur par stimulation magnétique transcrânienne répétitive (une stimulation par seconde pendant quinze minutes). Il a obtenu des résultats surprenants : à l'instar des autistes savants, les patients explorés développaient une approche « holistique » dans les différents tests effectués pendant l'heure suivant la stimulation : lecture directe de mots de plus de quinze lettres, capacités artistiques décuplées pour le dessin, comptage de taches sur un écran d'ordinateur (entre soixante et cent cinquante exposées pendant une seconde et demie avec soixante tests différents sur quatre-vingt-dix secondes) repérées à cinq unités près ! Depuis, Snyder espère pouvoir un jour « débloquer » l'oreille absolue avec une technique proche.

Quelles sont donc les interactions tardives susceptibles de provoquer une réorganisation fonctionnelle optimale de ressources cérébrales réduites et de maintenir des capacités adaptatives ? On connaît depuis Aristote la coloration apportée à la cognition par les émotions, qui est d'ailleurs loin d'être toujours très rationnelle. Tel visage nous semble attirant parce qu'il emprunte quelques traits à une personne qui nous est chère, et on lui sourit, fût-il inspecteur du fisc, alors qu'on évitera de croiser le regard d'un gendarme même s'il ressemble à George Clooney. Il n'est pas exclu que des émotions plus élaborées compensent le déclin de la mémoire épisodique en affectant une coloration émotionnelle plus subtile aux éléments à retenir. Ces derniers pourraient également être présentés de manière plus attrayante, plus motivante et stimulant l'attention. Des performances mnésiques paradoxales sont parfois observées chez les personnes âgées activées par des stimulations émotionnelles intenses, par exemple musicales. C'est l'effet Lazare : les souvenirs éteints peuvent être ramenés à la vie.

ET L'EFFET MOZART ?

En appréciant le caractère fluide, mobile, sans monotonie, universel et stimulant, Alfred Tomatis, ORL français, a étudié les spectrogrammes de la musique de Mozart. Il en propose une écoute par conduction osseuse et filtrée telle que la perçoit le fœtus et affirme obtenir (à partir de travaux personnels) des effets bénéfiques sur les capacités intellectuelles, artistiques et même sur la personnalité. Nombre d'artistes ont essayé cette méthode (Gérard

Depardieu, la Callas) et contribué parfois involontairement à sa diffusion, en en faisant presque une étape incontournable d'une carrière artistique. Aux États-Unis, Don Campbell a labellisé The Mozart Effect®, équipé les hôpitaux et proposé une pléiade d'enregistrements pour « fortifier l'esprit », « guérir le corps » (y compris des maladies dysimmunitaires !) et « libérer la créativité » : tous les âges sont concernés et même les animaux de compagnie sont les bienvenus ! Des articles contradictoires, publiés dans des revues scientifiques, vont même jusqu'à retrouver des vertus antiépileptiques à la fameuse *Sonate* K 448, la plus utilisée. Les études les moins contestables retrouvent, quant à elles, un effet assez bref sur la vision dans l'espace et les plus pragmatiques se contentent d'expliquer l'« effet Mozart » par le caractère très stimulant de cette sonate, composée initialement pour Josepha Aurnhammer, élève que Mozart appréciait particulièrement et aimait taquiner. L'exécution de cette sonate que Wolfgang a composée pour deux pianos, contrairement aux vœux de Josepha qui, amoureuse, souhaitait un morceau à quatre mains, demande, en effet, une telle énergie qu'elle mettait en nage l'infortunée jeune fille qui transpirait déjà « à faire dégueuler » (Mozart, 22 août 1781). Frances Rauscher et ses collègues de l'Université de Californie ont testé, eux aussi, au début des années 1990 cette sonate *versus* de la musique relaxante ou du silence. D'autres équipes auraient retrouvé le même effet « stimulant » dans les mêmes conditions avec le groupe de heavy métal américain Metallica…

L'effet Mozart serait-il lié à un blocage du lobe temporal gauche (« Trop de notes mon cher Mozart ! »), d'où peut-être l'effet antiépileptique et le renforcement des processus créatifs de l'hémisphère droit, associés au raisonnement spatio-temporel ? Comme dans le cas des démences fronto-temporales gauches qui développent les capacités artistiques ? Comme dans le cas de Maurice Ravel qui composa le *Boléro* alors que son cerveau gauche était endommagé ? Quoi qu'il en soit, il est amusant de constater dans cette perspective que le supposé crâne trigonocéphale de Mozart retrouvé par son fossoyeur en 1801 et conservé au Mozarteum de Salzbourg présente un trait de fracture tempo-ropariétal gauche ! De là à devenir soi-même un génie par simple (sup)pression de son lobe temporal gauche…

Apprendre en musique

Les personnes âgées voyant leur compréhension du langage décliner, pour des raisons auditives et cognitives, accordent plus d'importance à la prosodie qu'au sens littéral d'un discours, à la musique du langage. Elles deviennent aussi plus sensibles au contenu émotionnel d'un échange. Balayant les informations parasites, elles s'en tiennent aux données essentielles et détectent parfois plus facilement qu'une personne jeune des incongruités.
Leurs performances mnésiques pourraient donc être facilitées par un codage multimodal des informations, moteur, mais aussi émotionnel, et pas seulement verbal, un temps d'exposition plus long au stimulus, des répétitions plus nombreuses et des indices pour la récupération, comme l'apprentissage de la mélodie et des paroles d'une chanson. Plus largement, l'apprentissage de nouvelles connaissances semble facilité par des techniques qui peuvent être appliquées à la musique, notamment :
– *la technique de récupération* espacée qui consiste à demander à quelqu'un de se rappeler une information simple, par exemple le titre d'une musique, après des intervalles de temps de plus en plus longs ;
– *la technique d'estompage* des indices qui consiste à donner de moins en moins d'indices sur l'élément à se souvenir à chaque rappel de celui-ci - par exemple, le titre avec une lettre de moins à chaque rappel indicé (Help ! Hel. ! He.. ! H… !).

Autres effets thérapeutiques

> « Chaque maladie est un problème musical ; sa guérison : une solution musicale. Plus rapide et cependant complète est la solution, plus grand est le talent musical du médecin. »
>
> NOVALIS.

Nous l'avons vu, l'écoute de la musique active bilatéralement de nombreuses régions du cerveau impliquées dans l'attention, la mémoire de travail et à long terme, tant épisodique, autobiographique que sémantique, la cognition, les fluences verbales et la richesse du discours, les capacités visuo- et temporo-spatiales, la motricité et les émotions. L'apprentissage et le souvenir d'informations chantées seraient ainsi meilleurs que ceux transmis uniquement par la communication verbale (vous vous souvenez de l'apprentissage des tables de multiplication ? l'air vous revient ? « 6 fois 5, 30, 6 fois 6, 36, 6 fois 7 ? »), bien que cela soit contesté, en particulier par Isabelle Peretz à Montréal. Pourtant, Glenn Gould n'arrivait à retenir ses leçons qu'en les transformant en chansons ; il y associait alors vraisemblablement un facteur émotionnel qui lui permettait d'améliorer sa mémorisation. La maladie d'Alzheimer n'est pas la seule affection de l'âge qui puisse bénéficier de la musique. L'écoute d'une musique agréable améliore la récupération après une affection cardio-vasculaire ou respiratoire et diminue le taux de cortisol après un stress. Elle diminue l'anxiété, la dépression et même les douleurs aiguës ou chroniques en particulier rhumatismales – non seulement en détournant l'attention des souffrances, mais par un effet direct sur l'activation de sécrétion de morphine endogène *via* le circuit de la récompense et du plaisir.

DOULEURS RHUMATISMALES

Stéphane Guétin et ses collaborateurs du groupe de musicothérapie de l'université de Montpellier ont, sous la direction de Jean-Pierre Blayac, proposé deux séances musicales de vingt minutes par semaine à des rhumatisants. Allongés dans une ambiance calme et dans la pénombre, ils écoutaient, les yeux fermés, des musiques qu'ils avaient choisies au moyen d'un casque les isolant de bruits parasites. Plusieurs phases s'enchaînaient : par des variations de volume sonore, de composition orchestrale et de tempo, les patients étaient amenés progressivement à la détente avant d'être redynamisés (montage en U). Ils notaient avant et après chaque séance leur niveau de douleur, de tension physique (musculaire) et psychique (anxiété). La tolérance des séances s'est révélée excellente, les patients ressentant une amélioration pour les trois critères explorés, et ce d'autant plus que leur douleur était ancienne.

LES ACCIDENTS VASCULAIRES CÉRÉBRAUX

Comme l'ont montré le Finlandais Teppo Särkämö et ses collaborateurs de l'Université d'Helsinki dans un article paru dans la revue *Brain* en février 2008, l'écoute de la musique améliore la récupération cognitive et l'humeur après un accident vasculaire cérébral. La plasticité cérébrale est souvent très importante dans ce contexte et ne demande qu'à être activée. Nous avons vu avec Glenn Gould l'intérêt de la cognition motrice et de l'imagerie mentale pour réactiver et maintenir les représentations motrices cérébrales. D'autres chercheurs ont proposé avec succès des stimulations motrices, sensitives, électriques associées à des sollicitations multimodales auditives, visuelles et olfactives favorisant la récupération motrice et cognitive.

Dans l'étude finnoise, soixante patients étaient répartis en trois groupes après un accident vasculaire cérébral. Dans le premier groupe, les patients écoutaient au moins une heure par jour, pendant les deux mois suivant leur accident vasculaire des musiques qu'ils avaient choisies ; dans le deuxième groupe, les malades écoutaient des enregistrements de textes lus ; dans le troisième groupe, rien n'était prévu sinon les soins et la rééducation habituels dont bénéficiaient également les deux autres groupes. Les patients ont été testés au début puis trois et six mois après leur attaque. Les résultats ont montré une récupération significativement supérieure pour le groupe des mélomanes pour la mémoire verbale et les capacités d'attention, surtout si la lésion vasculaire concernait l'hémisphère dominant pour le langage – le gauche chez un droitier. Ils étaient également moins déprimés et moins confus. Les chercheurs pensent qu'en dehors des processus cognitifs et émotionnels habituellement déclenchés par la musique par activation du système de la récompense et du plaisir, cette dernière pourrait stimuler les régions cérébrales saines adjacentes à la lésion provoquée par l'accident vasculaire. Celles-ci sont en effet habituellement plus excitables et présentent une plasticité accrue dans ce contexte. Les musiques choisies, qui étaient le plus souvent à la fois instrumentales et vocales, pouvaient ainsi être à l'origine d'une double stimulation cérébrale et, de plus, bilatérale. L'écoute musicale, surtout dans les premiers jours après un accident vasculaire cérébral, spécialement s'il affecte le langage, est également plus facile. Chez l'animal, un environnement sensoriel enrichi après un accident vasculaire active la plasticité cérébrale avec, en particulier, une réduction de la taille de l'infarctus cérébral, une prolifération des dendrites et de leurs connexions, une prolifération cellulaire et même une neurogenèse, en particulier dans l'hippocampe, une sécrétion de facteurs neurotrophiques.

Sabine Schneider et son équipe à l'Université de Hanovre ont entraîné une vingtaine de patients non musiciens à jouer du piano ou de la batterie électrique dans les suites d'un accident vasculaire cérébral cinq fois par semaine pendant trois semaines. Ils ont obtenu des résultats significatifs par rapport au groupe témoin en ce qui concerne la récupération motrice, la vitesse et la précision des mouvements du membre supérieur droit ou gauche paralysé. On sait aussi que les patients aphasiques répètent et se souviennent de plus de mots d'une nouvelle chanson en la vocalisant que s'ils tentent d'en dire le texte. « En chantant, le malade non seulement conserve l'air de la chanson mais encore articule nettement des mots qu'il ne peut émettre en parlant[11]. »

Chanter plutôt que parler ?

La thérapie mélodique et rythmée[12] est employée avec succès par les orthophonistes dans les aphasies dites motrices, c'est-à-dire concernant la zone de la production du langage (aire de Broca). Son principe consiste à utiliser les systèmes prosodiques du français, la mélodie du langage, afin d'activer l'expression orale de certains aphasiques par l'action du rythme et de la mélodie, avec des exercices d'abord non verbaux. Tout se passe en imagerie fonctionnelle comme si les dispositifs cérébraux quasiment intacts impliqués dans la mélodie et le rythme servaient de « prothèse » à la récupération du langage par réactivation des régions de l'hémisphère gauche autour des lésions[13]. L'un de mes plus extraordinaires souvenirs d'interne des Hôpitaux de Marseille fut de voir un jour le professeur Michel Poncet, grand spécialiste de l'aphasie, s'approcher d'un malade alité, lui prendre la main et lui chanter à l'oreille. Le patient, mutique depuis des jours à la suite d'un accident vasculaire cérébral, s'est alors progressivement mis à chanter avec lui, oubliant son handicap, le visage radieux et reconnaissant au milieu de la surprise générale.

LA MALADIE DE PARKINSON

La musique a montré ses bienfaits dans la maladie de Parkinson, en particulier sur la coordination motrice et sur la marche, tant sur la vitesse que sur la distance parcourue et la cadence des pas. Dans ce cas, le choix d'une musique avec un rythme fort et métrique sera préférable à une musique instrumentale non rythmique[14]. En fonction des goûts, on s'orientera donc plutôt vers le rock'n roll ou la musique militaire. Les patients sont moins lents, leurs mouvements plus précis. Des effets positifs sur le plan émotionnel, sur les difficultés d'articulation et sur la qualité de la vie en général sont signalés. Ceux qui jouent du piano peuvent oublier leur parkinson lorsqu'ils sont au clavier et Oliver Sacks a bien évoqué ces gens qui s'autoactivent en imaginant une musique qui les aide à se lever et à marcher.

Il est désormais établi que l'écoute d'un morceau de piano appris précédemment stimule les circuits moteurs cérébraux comme si la personne était en train de le jouer. Il est tout aussi certain que le fait d'imaginer entendre une musique active le cerveau comme si elle était réellement entendue. Glenn Gould utilisait d'ailleurs ces facultés pour jouer dans sa tête. Un patient souffrant de la maladie de Parkinson peut imaginer entendre une musique qui va activer et « déverrouiller » ses commandes motrices, de même qu'il peut arriver à débloquer sa marche lorsqu'il imagine devoir monter une marche d'escalier. J'ai pu constater ce « miracle » chez une femme atteinte de parkinson depuis une vingtaine d'années : les grandes difficultés qu'elle éprouvait pour initier et poursuivre sa marche se sont envolées comme par enchantement lorsqu'elle s'est mise à « défiler » dans mon bureau en sifflant *Le Boudin*, l'air de la marche de la Légion étrangère, à sa plus grande stupéfaction !

CHAPITRE 4

Musique et cerveau social

Quatrième mouvement : Ode à la joie

(Rondo, allegro)

> « La musique est le suprême mystère des sciences de l'homme, celui contre lequel elles butent, et qui garde la clé de leur progrès. »
>
> LÉVI-STRAUSS.

À quelles musiques s'intéressent les personnes âgées ? Quelle place prennent-elles dans leur vie ? La sociologue Anne-Marie Green a mené une enquête auprès de ce groupe habituellement silencieux et hétérogène, envoyant ses étudiants de Nanterre interroger un échantillon de plus de sept cents personnes (questionnaires, entretiens, récits de vie). À la question « que représente pour vous la musique ? », la réponse est dans 45 % des cas « une présence ». Tout simplement. On écoute de la musique pour ne plus être seul. Autre information précieuse : La « grande musique », la musique classique, qui n'était que troisième auprès des jeunes, après l'opérette et les variétés françaises, passe en tête, témoignant peut-être d'un enrichissement de la vie intérieure et de l'affinage des émotions avec l'expérience. Dernier enseignement qui nous importe ici : si l'opéra et surtout l'opérette sont davantage appréciés par les plus de soixante-cinq ans que par la moyenne de la population française, l'écart se creuse aussi quand il s'agit de musique pour danser, l'aspect social de la musique constituant un attrait supplémentaire avec l'âge : rencontrer du monde, danser tant qu'il en est encore temps.

La présence physique des musiciens est d'ailleurs importante, sinon indispensable, pour donner l'envie de bouger.

Plus que la pratique et la maîtrise d'un instrument, plus que les connaissances musicales, c'est le plaisir, la détente, le divertissement, mais aussi le rapprochement avec les autres, tant sur le plan physique qu'intellectuel qui priment. Comme pour les baleines ou les gibbons, la musique renforce le lien social, la communication. La voix humaine, qui exerce un effet puissant sur le système du plaisir et de la récompense, a d'ailleurs une place de choix dans l'émotion procurée. Lorsque le psychiatre Gérard Ribes a étudié en maisons de retraite des groupes de parole fondés sur les souvenirs et les réminiscences, il a constaté avec surprise l'impact des chansons. Le simple fait d'écouter des chansons, d'essayer d'en retrouver les paroles et d'évoquer les souvenirs intimes qui peuvent y être liés fait prendre conscience aux membres du groupe de leur même appartenance générationnelle, de leur patrimoine musical commun et les amène à partager leurs émotions, à se situer les uns par rapport aux autres.

Le cerveau social

Rembrandt a représenté la scène : David joue de la harpe pour soulager Saül de ses angoisses. Dans le tableau, il présente les traits de Baruch Spinoza que le peintre a rencontré à Amsterdam. En neurosciences, les idées du philosophe sur les émotions ont trouvé un brillant écho dans les travaux d'Antonio Damasio, le neurologue qui dirige actuellement l'Institut pour l'étude des émotions et de la créativité de l'Université de la Californie du Sud. Damasio distingue trois modes de déclenchement des émotions :

— *Les émotions primaires* résultent d'un contexte demandant une réponse adaptative objective : la faim, le plaisir, le désir, la peur.

— *Les émotions secondaires* impliquent la mémoire et permettent une adaptation plus efficace : elles visent à éviter une perturbation, à la prévoir et à la corriger par avance en adoptant la conduite la plus adaptée devant un marqueur secondaire (éviter le regard de celui qui porte un uniforme de gendarme).

— *Le troisième type d'émotion* peut être provoqué par l'empathie, cette capacité qui permet à un individu de comprendre les sentiments et les émotions d'un autre sans nécessairement les ressentir lui-même. On parle ainsi de l'empathie d'un prédateur envers sa proie : c'est elle qui lui permet de prévoir ses réactions et de parvenir à la dévorer. C'est l'empathie cognitive, froide, neutre, rationnelle et distante, mais l'empathie peut, à l'inverse, engendrer la sympathie qui comporte une dimension affective et n'est pas simplement un réflexe comme la contagion émotionnelle. C'est un véritable sixième sens !

L'EMPATHIE PEUT CHANGER LE MONDE

Les androïdes en fuite du film *Blade Runner* de Ridley Scott sont dépourvus de sentiments empathiques, comme certains psychopathes. Ils seront d'ailleurs démasqués par le test de Voigt-Kampff, imaginé par l'écrivain de science-fiction Philip K. Dick, qui atteste de l'absence de réactions neurovégétatives de leur part à des stimuli choquants (pas de variations respiratoires, pas de modification de la fréquence cardiaque, pas de dilatation pupillaire, pas de rougissement du visage). C'est dire l'importance du circuit amygdalien des émotions dans l'empathie, avec l'insula et le gyrus cingulaire, et des neurones miroirs pour l'interprétation des mimiques faciales.

L'empathie, qui existe chez l'être humain, permet de comprendre les émotions d'un interlocuteur. C'est une base fondamentale de la communication et du lien social. Les mêmes régions cérébrales sont activées chez celui qui souffre et chez celui qui l'observe et le comprend (gyrus cingulaire et insula antérieurs). Des liens se tissent grâce à ce mimétisme émotionnel qui implique tout autant le langage explicite, digital, que la communication non verbale, analogique, émotionnelle – dont on connaît la richesse depuis les travaux de Paul Watzlawick et de l'école de Palo Alto. Une expression faciale, une légère coloration du visage, un clignement d'yeux, une respiration plus rapide, un geste, un regard, un silence en disent plus qu'un long discours. Même dans le cas du vieillissement pathologique, cette communication non verbale persiste longtemps et bien après que le langage a perdu sa cohésion.

Avez-vous déjà pris dans vos bras un patient présentant une maladie d'Alzheimer évoluée ? Lui avez-vous tenu la main, lui avez-vous souri, avez-vous tenté de chanter avec lui ? N'avez-vous pas vu alors un sourire, un éclair de bonheur, sinon de lucidité dans son regard ? Un fugitif moment de grâce ? Michel Orregia, qui va depuis des années jouer bénévolement du piano dans les maisons de retraite, et dont la patience de professeur à mon égard est sans limite, a constaté ce miracle lorsqu'il trouve le morceau qui convient à un patient : ce dernier reprend vie et s'anime pour quelques instants, son visage retrouve une expression enjouée oubliant le masque funèbre que lui fait porter sa maladie d'Alzheimer.

Louis Ploton, professeur de gérontologie à Lyon, pense que les malades peuvent aussi émettre des messages non verbaux inconscients : « La maladie d'Alzheimer, écrit-il, atteint successivement les facultés cognitives puis subjectives… mais respecte manifestement les aptitudes affectives […] et c'est manifestement dans le registre affectif que se jouent la dynamique des conduites du malade et celle des relations qu'il est possible de nouer avec lui. » Pour les neuropsychiatres Delage, Lejeune et Haddam, les interactions tardives sont des facteurs de résilience et englobent la capacité d'attention, d'empathie, d'innovation, de créativité visant à stimuler toutes les possibilités d'expression et d'action du malade dans tous les registres où c'est encore possible – en particulier, les échanges non verbaux comme la musique, le regard ou les gestes. Vecteur par excellence d'affectivité[1], la perception musicale est, nous l'avons vu, la forme la plus évoluée du tact. Dans les groupes du psychiatre lyonnais Gérard Ribes, les résidents en institution ne se contentent pas de communiquer et d'échanger leurs émotions, leur empathie et leurs souvenirs au gré des chansons entendues, ils tentent de tisser un lien transgénérationnel avec les équipes soignantes, renversant ainsi les rôles en essayant de leur apprendre leur répertoire. Une nouvelle complicité s'instaure, une dynamique apparaît. De la musique comme braise de résilience ?

LEÇON DE TANGO (1)
SE CHOISIR, SE COMPRENDRE

À Buenos Aires, les partenaires se choisissent par un regard mutuel soutenu, délicat et discret : le regard de l'un a attiré l'attention de l'autre. La femme a tourné les yeux vers l'homme, ce qui l'a rendue plus attrayante[2], surtout si son visage est souriant. Elle lui a porté de l'intérêt en soutenant son regard, le valorisant, activant ainsi, sans le savoir, les circuits de la récompense de son futur cavalier[3]. Rien de tel qu'un peu de dopamine pour bien débuter une interaction sociale !

L'empathie permet la compréhension des sentiments et des émotions d'autrui. Ce qu'on nomme la théorie de l'esprit désigne plus globalement l'ensemble des processus

Les yeux miroirs de l'âme

« Socrate : Réfléchissons ensemble. Supposons que ce précepte "Connais-toi toi-même" s'adresse à nos yeux comme à des hommes et leur dise : "Regardez-vous vous-mêmes." Comment comprendrions-nous cet avis ? Ne penserions-nous pas qu'il inviterait les yeux à regarder un objet dans lequel ils se verraient eux-mêmes ?
Alcibiade : Évidemment.
Socrate : Or quel est l'objet tel qu'en le regardant, nous nous y verrions nous-mêmes, en même temps que nous le verrions ?
Alcibiade : Un miroir, Socrate, ou quelque chose du même genre.
Socrate : Très bien. Mais dans l'œil, qui nous sert à voir, n'y a-t-il pas quelque chose de cette sorte ?
Alcibiade : Oui certes.
Socrate : Tu n'as pas été sans remarquer, n'est-ce pas, que quand nous regardons l'œil qui est en face de nous, notre visage se réfléchit dans ce que nous appelons la pupille, comme dans un miroir : celui qui regarde y voit son image ?
Alcibiade : C'est exact.
Socrate : Ainsi, quand l'œil considère un autre œil, quand il fixe son regard sur la partie de cet œil qui est la meilleure, celle qui voit, il s'y voit lui-même.
Alcibiade : Tu dis vrai.
Socrate : Donc si l'œil veut se voir lui-même, il faut qu'il regarde un œil, et dans cet œil la partie ou réside la faculté propre à cet organe, c'est-à-dire la vision.
Alcibiade : En effet.
Socrate : Eh bien, mon cher Alcibiade, l'âme aussi, si elle veut se connaître elle-même, doit regarder une âme, et, dans cette âme, la partie où réside la partie propre à l'âme, l'intelligence, ou encore tel autre objet qui lui est semblable.
Alcibiade : Je le crois, Socrate.
Socrate : Or, dans l'âme, pouvons-nous distinguer quelque chose de plus divin que cette partie où résident la connaissance et la pensée ?
Alcibiade : Non, cela est impossible.
Socrate : Cette partie-là, en effet, semble toute divine et celui qui la regarde, qui sait découvrir tout ce qu'il y a en elle de divin, un dieu ou une pensée, celui-là a plus de chances de se connaître lui-même. »

Platon, *Alcibiade*.

intellectuels qui permettent à quelqu'un de « lire dans l'esprit » de quelqu'un d'autre et d'expliquer ou de prédire ses actions et son état mental. Cette capacité s'acquiert aux environs de quatre-cinq ans. On la détecte habituellement par le test d'Anne et Sally mis au point par Simon Baron-Cohen et son équipe en 1985. Sally et Anne sont deux petites filles qui jouent dans une pièce où se trouvent un panier et une boîte. Sally possède une bille qu'elle met dans le panier puis va se promener. Anne prend la bille dans le panier et la déplace dans la boîte. Où Sally ira-t-elle chercher la bille en revenant ? Dans le panier ou dans la boîte ? La faculté de comprendre après l'âge de quatre-cinq ans que Sally va chercher la bille là où elle l'a laissée plutôt qu'à l'endroit où elle se trouve est universelle. L'anthropologue Maurice Bloch l'a expérimenté dans un village reculé de Madagascar et a suscité l'enthousiasme des villageois qui en ont conclu que les enfants avaient acquis le sens de la *mandainga*, terme à mi-chemin entre mensonge et politique…

Un visage reconnu comme coopératif active non seulement en IRMf des réseaux neuronaux impliqués dans les circuits de la récompense, mais également dans les émotions, l'empathie et la lecture des états mentaux : amygdale, insula, sillon temporal supérieur[4]. Ce sillon-là est absolument capital. Il s'allume sous l'effet d'un regard, perçoit les aspects changeants d'un visage, l'expression faciale, les mouvements des lèvres, les mouvements des mains et du corps en général[5]. Il est connecté aux circuits pariétaux de l'attention spatiale (« tiens, quelqu'un m'observe, je “sens” son regard, où est-il ? »), des émotions et au cortex auditif proche (« va-t-il se mettre à parler ? »). Son dysfonctionnement entraîne le syndrome de Capgras parfois rencontré dans la maladie d'Alzheimer : le visage d'un proche est reconnu, mais les signaux familiers associés ne le sont plus et le patient est persuadé d'être en présence d'un sosie. Ce même sillon temporal supérieur est relié au cortex orbito-frontal, partie du cerveau située au-dessus des cavités orbitaires, également impliquée dans la lecture des états mentaux d'autrui et de soi-même. Très connecté au lobe temporal, il peut, d'après le neurologue Pierre Krolak-Salmon, détecter une expression faciale de joie par le côté gauche, de peur par le droit et la colère en association avec une autre structure plus profonde : le gyrus cingulaire.

Des hommes et des femmes

Comme pour l'empathie, la capacité à lire les états mentaux d'autrui est plus développée chez la femme. Écoutons Marie de Flavigny, comtesse d'Agoult, enlevée à son foyer conjugal par l'impétueux Franz Liszt, puis délaissée après une longue « rêverie d'amour » pour la princesse russe Carloyne de Sayn-Wittgenstein : « Je conseillerais aux femmes, lorsqu'elles viennent à se demander quel est l'effet des ans sur leur charme, de consulter moins leur miroir que le visage de leurs contemporaines. »

Antonio Damasio a montré que les lésions du cortex préfrontal ventro-médian altèrent l'aptitude à ressentir les émotions des autres, produisant des comportements asociaux sans atteinte des capacités intellectuelles. C'est ce qui est arrivé au pauvre Phineas Gage dont la partie antérieure de la boîte crânienne est transpercée par une barre à mine le 13 septembre 1848. Après l'accident, l'homme ne présente aucun déficit neurologique apparent. Pourtant Phineas n'est plus Phineas, son caractère a changé : le travailleur compétent et courtois est devenu grossier et irresponsable. Les aires préfrontales, en général, sont considérées comme la base de la formation des intentions qui précèdent et orientent l'action. Fortement connectées à l'amygdale, elles pourraient l'inhiber pour tenter d'assurer le contrôle émotionnel, garder la tête froide lorsque le système de récompense s'active, et prendre la bonne décision sur le plan des interactions sociales : inviter la cavalière avec tact et discrétion, sans avoir l'air d'un satyre libidineux…

Le couple s'élance maintenant sur la piste de danse et l'homme va guider la femme avec son buste, de façon imperceptible pour le spectateur, communiquant avec son corps au son des bandonéons. Le tango est une danse d'improvisation, une marche à quatre jambes pour androgyne reconstitué. Les couples tournent, dans le sens inverse des aiguilles d'une montre, hémisphère Sud oblige, et se fondent dans le mouvement général du bal. Chacun devine ce que l'autre attend, va faire et s'harmonise avec. Chacun est le miroir de l'autre. Les informations s'échangent : regards, poids du corps, une main posée sur la cambrure d'un dos. Des structures cérébrales identiques sont impliquées dans la perception et la production d'une émotion, ou plus généralement d'un état mental. Des patients présentant des lésions cérébrales acquises au niveau des aires sensorielles souffrent d'un déficit dans l'appréciation de l'état de leur corps et leur décodage des émotions d'autrui s'en trouve altéré[6]. Inversement, des patients congénitalement insensibles à la douleur peuvent se représenter fort convenablement la douleur des autres[7]. Si le bal tourne bien et si les musiciens et les danseurs sont en phase, les signaux non verbaux diffusent par résonance émotionnelle d'un couple à l'autre, aboutissant à la répartition harmonieuse des danseurs dans la salle qui finissent par se synchroniser et former un tout cohérent.

LEÇON DE TANGO (2)
VOIR, ENTENDRE, REPRODUIRE

Les seniors du groupe de Montréal de Patricia McKinley n'ont vraisemblablement pas atteint ce niveau en quelques semaines. Ils se sont certainement contentés de l'apprentissage de la *salida*, le pas de base du tango, en mettant en jeu leur système de neurones miroirs. Ces derniers sont sensibles à la fois à la perception d'une action et à son exécution. Ils permettent un couplage direct entre les informations visuelles provenant de l'observation des actions d'autrui (le professeur de tango) et la représentation motrice correspondante (le pas à exécuter).

Chez l'homme, les neurones miroirs intéressent deux grandes régions cérébrales interconnectées :

— le cortex pariétal inférieur qui reçoit des informations décodées par les régions sensorielles et les « traduit » en termes moteurs pour les aires frontales postérieures motrices auquel il est connecté ;

— le cortex frontal, en particulier au niveau de l'aire du langage de Broca, de la partie inférieure du cortex moteur primaire et au niveau du cortex prémoteur qui programme les mouvements nécessaires à l'action.

Ce réseau pariéto-frontal semble recevoir ses informations du fameux sillon temporal supérieur qui détecte les mouvements des yeux, des visages et du corps en général (et dont la proximité avec le cortex auditif laisse pantois !).

Les élèves immobiles observent le professeur de tango exécuter un pas. Comme Glenn Gould imaginant l'interprétation d'un morceau de piano, ils se forment une image mentale motrice sachant qu'ils vont devoir l'imiter ensuite – et à l'aide du même circuit neuronal, selon Marc Jeannerod. Rizzolatti précise que le circuit des neurones miroirs sert non seulement à l'imitation, mais joue un rôle majeur dans la reconnaissance et la compréhension du sens des actions d'autrui : « Ces mouvements acquièrent une signification pour celui qui les observe en vertu du vocabulaire d'actes dont il dispose et qui règle ses possibilités d'action. »

Notre cerveau répond en miroir de façon plus intense à la contemplation de la dégustation d'une glace par un congénère plutôt que par un singe, au discours d'un homme plutôt qu'au claquement des lèvres d'un macaque ou aux jappements d'un chien auxquels il ne s'identifie pas. Béatriz Calvo-Merino et ses collaborateurs ont montré en IRMf que des danseurs confirmés de capoeira présentent une activation plus intense de leurs neurones miroirs à la vision d'un spectacle de cet art martial afro-brésilien que des danseurs classiques. Le cerveau de ces derniers s'embrase, en revanche, à la vue des pas de danse et des entrechats familiers. L'activation du système moteur des neurones miroirs est modulée par la pratique motrice et non pas par l'expérience visuelle, et elle est plus intense lorsque les danseurs de capoeira regardent les mouvements habituellement effectués par les individus du même sexe que par ceux réservés au sexe opposé et plus intense chez les danseurs confirmés que chez les débutants.

Les perceptions visuelles ne sont pas les seules à activer le système des neurones miroirs. Si un néophyte apprend un morceau de piano pour une main d'une trentaine de notes, à raison d'une demi-heure à une heure d'entraînement par jour pendant cinq jours, son cerveau s'activera ensuite comme s'il jouait ce morceau lorsqu'il l'entendra, à la différence d'un autre morceau inconnu qui ne stimulera que la zone temporale de réception des sons[8]. Il est probable que l'audition d'un air de tango connu active l'envie de danser et les circuits moteurs appropriés chez un aficionado. De plus, ces structures neuronales n'incluent pas l'hippocampe et sont *a priori* épargnées par les premières attaques du vieillissement cérébral ou de la maladie d'Alzheimer, comme le pense le neurologue Jean-Pierre Polydor.

Cette possibilité de couplage entre des perceptions visuelles ou auditives et une action est au centre des mécanismes de l'apprentissage. Elle participe également activement à la compréhension d'autrui et à la cognition sociale, sous-tendant à la fois les processus d'empathie et de théorie de l'esprit, rappelons-le, moins performants chez l'homme. Leur dysfonctionnement serait à l'origine de l'altération des interactions sociales chez les autistes, forme extrême du cerveau masculin selon Simon Baron-Cohen qui parle de « cécité mentale ».

VARIATIONS CANONIQUES EN MIROIR ET SPIEGEL-KANON

Si les neurones miroirs s'activent lorsque nous voyons se réaliser une action ou que nous la réalisons nous-mêmes, un autre type de neurones dits « canoniques » s'active à la simple vue d'un objet saisissable par un mouvement de préhension de la main codé par ces neurones selon leur spécialisation – la préhension d'une orange n'est pas la préhension d'une cerise. Comme si notre cerveau anticipait une interaction possible avec cet objet et se préparait en conséquence.

« La vérité est sur terre comme un miroir brisé dont chaque éclat reflète la totalité du ciel », écrit Christian Bobin, rejoignant par là la pensée de Leibniz pour qui l'âme se compose de monades, équivalent spirituel des atomes pour la matière. Voltaire se moquera cruellement du philosophe de Leipzig qu'il caricaturera dans *Candide* sous les traits de Maître Pangloss ; Jean-Sébastien Bach, au contraire, ne sera pas insensible à cette notion d'harmonie universelle préétablie et s'imprégnera des idées de son concitoyen décédé sept ans avant son arrivée comme cantor à l'église luthérienne Saint-Thomas et dont il côtoie quotidiennement les proches. Dans l'*Offrande musicale*, il reprend le thème musical fourni par l'empereur Frédéric II (qui jouait de la flûte) et compose un curieux canon en miroir, ou *Spiegel-Kanon*, le fameux canon *cancrizans*, « en crabe », bien que le terme d'écrevisse ait mieux convenu si l'on se fie au bestiaire d'Apollinaire mis en musique par Francis Poulenc. Le thème royal est exposé, puis repris à l'envers, tandis que l'accompagnement initial est à son tour repris à l'envers.

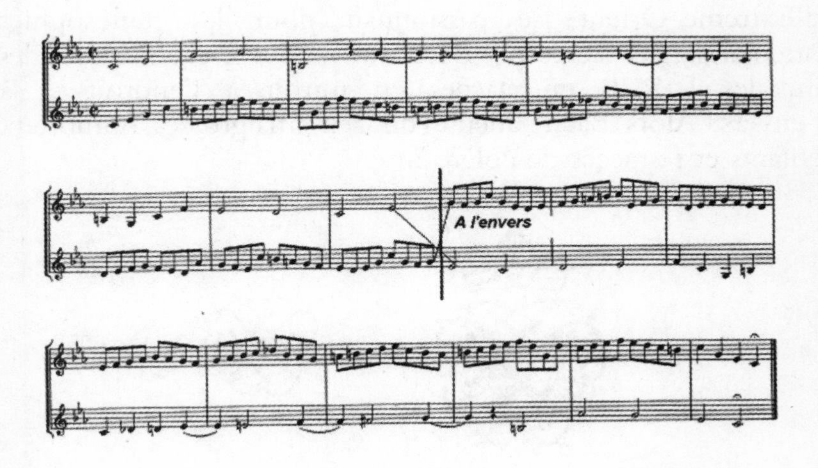

La *Fugue à quatre voix n° 16 de L'Art de la fugue*, testament musical de Bach, existe également sous deux versions, *rectus et inversus*, avec une permutation des deux voix extrêmes et des deux voix moyennes entre les deux, reliées de plus par un mouvement rétrograde ! Haydn utilisera le procédé dans le menuet de sa *Symphonie n° 47* qu'il baptisera d'ailleurs *La Palindrome*, du nom de la figure de style qui permet de lire un mot ou une phrase dans les deux sens (par exemple : « Ésope reste ici et se repose »). Mozart l'espiègle transcrira pour la guitare un canon à deux voix qui tient sur une page : la seconde mélodie se lisant en retournant la partition, les deux musiciens peuvent donc s'installer face à face autour d'une table et la déchiffrer ensemble.

On se souvient qu'en 1979, Douglas Hofstadter obtint le prix Pulitzer pour son ouvrage étonnant *Gödel, Escher, Bach, les brins d'une guirlande éternelle* dans lequel il perçoit une analogie entre le canon du crabe et la structure en double hélice de la molécule d'ADN. D'autres y ont vu un lien avec le taoïsme, les forces opposées et complémentaires du yin et du yang, sachant que Leibniz, en contact épistolaire régulier avec les jésuites des comptoirs d'Extrême-Orient, se passionnait pour les philosophies orientales. Le sceau de Bach lui-même est constitué des initiales J S B entrelacées en miroir à l'endroit et à l'envers. Alors Bach, adepte du zen, malgré ses nombreux enfants et ses accès de colère ?

Les liens entre l'infiniment grand et l'infiniment petit et la position intermédiaire de l'homme ont nourri les réflexions de Leibniz, de Pascal mais aussi de Paracelse. Les alchimistes du Moyen Âge imaginent des médecines pour rétablir l'équilibre entre le macro- et le microcosme à l'intérieur des corps, y compris par la musique, et leur Bible est la Table d'émeraude. Retrouvée dans un manuscrit arabe entre les mains d'un vieillard, elle est attribuée à Hermès, flûtiste et dieu, entre autres, des médecins et des voleurs : « Ce qui est en bas est comme ce qui est en haut, lisait-on ; et ce qui est en haut est comme ce qui est en bas, pour faire les miracles d'une seule chose. » N'est-ce pas là une façon d'étendre le concept d'empathie à l'univers entier et de nous approcher des étoiles, des chercheurs d'absolu, des anachorètes et du bouddhisme zen ?

Glenn Gould, renonçant à la scène, se retire en pleine gloire avec son chien dans son cottage au bord du lac Simcoe. Le violoncelliste Dominique de Williencourt part au fond du Sahara. La pianiste Ann Hidden dans le roman *Villa Amalia* de Pascal Quignard, campée au cinéma par Isabelle Huppert, rompt avec son passé, se dépouille de tous ses biens, y compris de son piano, pour disparaître sur l'île d'Ischia. Dans *Fictions*, l'écrivain argentin Jorge Luis Borges, hanté par les miroirs, écrit : « L'ordre inférieur est un miroir de l'ordre supérieur ; les formes de la terre correspondent aux formes du ciel ; les taches de la peau sont une carte des constellations incorruptibles ; Judas reflète Jésus en quelque sorte. »

Le suprême mystère enfin dissipé ?

« La musique est le suprême mystère des sciences de l'homme. »

LÉVI-STRAUSS.

Vers huit ans, le jugement esthétique d'un enfant est constitué : il a acquis une perception nette de la consonance, de la tonalité et du rythme. S'il est habitué à la musique occidentale, les accords consonants symboliseront l'ordre, l'équilibre ; les accords dissonants, l'inquiétude, le désir, le tourment ; un tempo rapide, un mode majeur, évoquera la joie ; un tempo lent, un mode mineur, la tristesse. Mais il s'agit d'acculturation : si l'on n'a pas appris à (re)connaître un objet, on ne le voit même pas. Qu'on se rappelle ces « sauvages » à qui des explorateurs montrèrent un film sur l'entrée d'un train en gare : alors que le public européen des frères Lumière, qui découvrait le cinématographe, se sauva effrayé, craignant d'être écrasé, les « indigènes », qui ne savaient pas ce qu'était un train, ne remarquèrent même pas l'arrivée du mastodonte de métal, ils ne virent que les poules qui picoraient sur le quai de la gare et les regardèrent avec envie et appétit.

Combien de trains avons-nous manqué par notre ignorance ?

Nietzsche le mélomane avouait lui-même devoir « apprendre à aimer » la musique : « L'action de la musique sur moi ? Je suis lent à aimer, je suis trop longtemps offusqué par ce qui m'est étranger. » La diffusion de musique classique a été utilisée dans certaines stations de métro pour éloigner les « voyous » ! Le rock'n roll fait chuter les ventes dans les supermarchés le matin alors qu'il les augmente le soir, à l'heure où les célibataires actifs font leurs courses. Les Blues Brothers n'auront aucun succès lorsqu'ils se produiront devant un public amateur de country et devront s'abriter derrière un grillage pour éviter les projections de canettes de bière. Ils ne réussiront à amadouer leur auditoire qu'avec le générique de la série télévisée du western *Rawhide* qu'ils joueront en boucle toute une soirée.

Néanmoins, et même s'ils sont rares, les universaux en musique existent. Le premier est l'*octave*. Quelle que soit la culture, l'oreille humaine perçoit deux sons dont les fréquences fondamentales de vibration sont dans un rapport de 2/1 comme très semblables : lorsque vous entendez un *do*, vous percevez également la première vibration harmonique une octave plus haute : elle correspond au *do* supérieur. Pythagore l'avait découvert avec son monocorde en pinçant la corde en son milieu. Nous donnons le même nom en Occident aux sons séparés d'une octave. Aucune base physique ou physiologique ne permet d'expliquer ce mystère.

Le deuxième universel est la *gamme*. La plupart des systèmes musicaux divisent l'octave en intervalles. Notre gamme chromatique occidentale comprend douze intervalles. Certaines cultures la modulent en intervalles plus nombreux, mais la polyphonie et l'harmonie ne sont alors plus possibles. D'autres utilisent moins d'intervalles, le plus souvent cinq, comme les touches noires du piano, ou le plus souvent *do ré mi sol la*. On retrouve ces gammes penta-« phoniques » dans la musique orientale, sino-japonaise, javanaise, mais aussi hongroise, berbère, éthiopienne et, par le biais des esclavagistes, dans le blues puis le rock'n roll.

Question d'accords

La quinte, écart de cinq tons (*do-sol*), obtenue par Pythagore en pinçant la corde en son tiers, est l'accord le plus universel. Viennent ensuite la quarte (*do-fa*), la tierce majeure (*do-mi*), qui va attendre la Renaissance pour s'imposer et la sixte majeure (*do-la*). Là encore, aucune explication physiologique si ce n'est l'obtention, comme deuxième vibration harmonique d'un *do*, du *sol* supérieur, une quinte au-dessus du premier harmonique. Le quatrième harmonique est le *do* supérieur suivant, puis vient en cinquième le *mi* situé une tierce au-dessus, puis un *la* et le *ré*, et nous retrouvons les cinq notes usuelles de la gamme pentatonique. Figurent ensuite le *fa* et le *si* et la gamme entière de la musique occidentale est obtenue. Vous vous doutez que les harmoniques suivants compléteront le clavier avec l'arrivée des cinq touches noires et des douze intervalles de la gamme chromatique occidentale – ces derniers seront maintenus par les compositeurs de musique atonale.

Le troisième universel est l'*harmonie*. Certaines combinaisons de sons, variables selon les cultures, sont perçues comme dissonantes et créent une tension ; d'autres plus heureuses sont ressenties comme harmonieuses, consonantes et terminent une phrase musicale : on parle alors de résolution de la tension. Le couplage tension/résolution est universel et son origine inconnue. Il rappelle, on l'a vu, les premières étapes de l'apprentissage du langage et les interactions entre la mère et son enfant. Quelle explication apporter ? Mathématique comme Pythagore, Rameau ou Leibniz (« La musique est une pratique cachée de l'arithmétique, l'esprit n'ayant pas conscience qu'il compte », 1668) ? Biologique, évolutive et adaptative ? Bien que l'oreille ait évolué dans un contexte de sons naturels, seule une faible minorité d'entre eux ont un caractère périodique et il s'agit essentiellement des vocalises émises par les hommes eux-mêmes à des fins de communication. La langue des tambours d'Afrique et d'Océanie imite ainsi la tonalité du langage. Hugo Zemp a montré que les trois tons de la langue sénoufo permettent aux xylophonistes de produire des « mots » compris par l'auditoire. Schwartz et ses collaborateurs ont étudié de façon statistique les pics de puissance du langage humain normalisé et observé une correspondance étroite avec les sons de la gamme chromatique : en premier lieu et de très loin, l'octave avec les deux *do* qui représente les fréquences les plus émises dans le langage humain ; puis le *sol* pour la quinte ; enfin le *fa*, le *mi* et le *la* pour la quarte, la tierce et la sixte. « Sitôt que des signes vocaux frappent votre oreille, ils vous annoncent un être semblable à vous [...], ils vous disent que vous n'êtes pas seul », note Jean-Jacques Rousseau dans les *Rêveries du promeneur solitaire*. D'ailleurs, 45 % des personnes âgées interrogées par Anne-Marie Green ne disaient-elles pas rechercher avant tout une présence dans la musique ?

Anthropomorphisme de la musique

La musique est anthropomorphique dans les sons qu'elle utilise, dans ses respirations et ses soupirs, dans ses tempi calqués sur la fréquence cardiaque. Très lent : 40 à 44 battements par minute ; *adagio* : 50 à 60 ; *andante*, « en marchant » : 60 à 80 ; *moderato*, « animé » : 80 à 100 ; *vivace* : 126 à 144 ; *presto*, *prestissimo* : 144-208. Elle a ses liaisons, ses blanches, ses noires, ses rondes, ses accords parfaits, majeurs ou mineurs, ses modulations, ses dominantes, ses sensibles, ses bémols, ses contretemps, ses syncopes, ses accidents, une armure, des clés sur une portée à cinq doigts. Lionel, un ami harmoniciste, me dit qu'il se sent pénétré par la musique, car son instrument se joue aussi en inspirant.

LES MŒURS DE LA VIEILLE EUROPE

Cyrill Scott, pionnier de la musique anglaise du début du XXe siècle, a été reconnu comme un musicien majeur par Debussy, Richard Strauss, Grieg et Stravinski, ce qui ne l'empêchait pas de s'intéresser aussi à la philosophie et aux médecines alternatives – il pensait ainsi que ses idées lui venaient par télépathie d'un sage de l'Himalaya, maître Koot Hoomi. On fermera les yeux sur les excentricités du grand homme, car son analyse des courants musicaux qui ont pu influencer les sociétés est intéressante à la lueur des notions d'empathie, de neurones miroirs et de contagion émotionnelle : « La musique, écrit Scott, affecte le mental, les émotions et les sentiments de l'humanité. Elle les affecte à la fois consciemment et inconsciemment. Elle les affecte à l'aide de la suggestion et de la réitération… » La musique se répand, d'abord rumeur légère, petit vent rasant la terre, puis, doucement, se dresse, s'enfle, s'enfle en grandissant, puis, *riforzando*, s'élance et rien ne l'arrête, c'est la foudre, la tempête, un *crescendo* public, un vacarme infernal, tel « l'air de la calomnie » dans *Le Barbier de Séville* de Rossini.

Pour Scott, une œuvre musicale a une incidence directe sur la société où elle naît ou se diffuse. L'arrivée de Haendel à Londres en 1712 aurait ainsi contribué à la lutte contre le relâchement des mœurs et facilité l'avènement de la morale victorienne : musique majestueuse, « solennelle et révérencieuse », répétitive, favorisant le culte du conventionnel jusqu'au puritanisme hypocrite, essaimant en Allemagne puis tardivement en Autriche. La musique de Jean-Sébastien Bach, chercheur d'absolu, introduisant un « élément d'ordre et de méthode dans l'esprit » aurait contribué au prodigieux développement de la philosophie germanique, à la précision, mais également à l'esprit « provincial » et « petit-bourgeois », tatillon et philistin. Cyril Scott regrette que les dissonances qui sont pour lui la clef de voûte des œuvres majeures de Bach comme *La Passion selon saint Matthieu* ou *La Passion selon saint Jean* n'aient pas été plus vite diffusées en Allemagne : « la dissonance, en effet, façonne le moule mental [...], le rend plus flexible et libère ainsi le processus mental stéréotypé ». Beethoven, par sa puissance brutale, « sa liberté sans restriction, et dans son appel direct, irrésistible à l'intuition et au subconscient », a libéré les passions et permis le développement de l'empathie, de la compréhension des autres, de l'homme, semant à Vienne les graines de la psychanalyse. Mendelssohn a poursuivi dans la voie de « la compassion, de la tendresse et de l'amour » et Chopin, « apôtre du raffinement », a influencé par la « suavité diaphane » de ses mélodies les peintures de Burne-Jones et des préraphaélites, mais surtout s'est insinué « irrésistiblement, dans le subconscient féminin », éveillant le goût pour la culture et participant directement à l'émancipation des femmes qui, jusqu'ici, n'étaient souvent autorisées à apprendre le piano, entre la broderie et le tricot, que pour jouer de petits airs de salon « en grande partie inspirés par l'arrière-pensée du mariage ». Avec l'imaginaire de Robert Schumann, ses petites pièces simples et innocentes, ses « scènes d'enfants », son « album pour la jeunesse », l'éducation et la compréhension des enfants seront transformées au cours du XIXe siècle : « Avec sa tendresse, son esprit primesautier et son humour, avec sa fantaisie et ses rêveries, il fit mieux comprendre l'enfant, remarque Scott [...]. Nous n'avons jamais cessé de les effrayer, de les menacer de la baguette, de l'enfer ou du père fouettard. N'y avait-il pas un meilleur moyen d'approcher l'enfance ? »

Lorsque Cyril Scott publie son livre en 1933, il ne se doute pas encore de l'influence qu'aura la musique de Wagner sur Adolf Hitler. Il écrit pourtant : « Toute sa vie fut en fait consacrée en son cœur à la régénération de la race humaine »... Concernant Mozart, il le néglige carrément. Pourquoi ? Par ses idées de fraternité issues des Lumières, par la hauteur de ses vues, n'a-t-il pas envoyé un message à la noblesse et aux empereurs Joseph puis surtout Léopold II qui, avertis par Figaro, Beaumarchais, Rousseau et Molière, ont su lâcher du lest et éviter le bain de sang révolutionnaire en Autriche ? Moussorgski, par contre, « en rappelant à chaque Russe l'horreur et la misère de son existence, et en brisant par des dissonances les moules de la pensée conventionnelle » a, aux yeux de Scott, contribué à « éveiller la haine de la servitude et de la domination qui allait être le ferment de la révolution ». Plus proche de nous, il est difficile de ne pas attribuer un rôle à la musique née à Liverpool au milieu des années 1960 et propagée à la Californie au cours de l'été 1967, le *Summer of Love*, dans l'embrasement de mai 1968. « *You say you want a revolution, well you know [...], but if you talk about destruction, don't you know that you can count me out/in.* » *Out/in* : John Lennon hésitera un instant, entre le single et la version sur l'album blanc, enregistrée avant, mais sortie après, sur son engagement dans la violence ou le *peace and love*.

L'INSTRUMENT ANTHROPOMORPHE

De la Vénus cycladique (2000 avant J.-C.), en forme de violoncelle, au *Violon d'Ingres* de Man Ray, dessiné sur le dos d'une femme photographiée en 1924, les instruments de musique aiment imiter l'homme. La guitare, « cette féminine au look androgyne » qui, nue dans la vitrine, attire et fascine Bernard Lavilliers, ne possède-t-elle pas un cou, un tronc, un ventre, des hanches, une taille ? Le mot « cithare » ne vient-il pas du grec *khitarsis* qui signifie « thorax » ? Le violon n'a-t-il pas des ouïes, une âme ? La guimbarde n'a-t-elle pas été interdite dans la Vienne puritaine du XIXe siècle, car jugée pornographique ? La flûte, féminine par le son, masculine par la forme et, à l'inverse, le tambour à la voix grave et au ventre fécond ne renvoient-ils pas au *Banquet* de Platon, à la genèse, au paradis ? Les flûtes paléolithiques et les trompes tibétaines en fémurs humains, le tambour damaru à boules fouettantes de l'Himalaya, composé de deux calottes crâniennes accolées en forme de sablier, ne tentent-ils pas de conjurer les effets du temps ? Les conquistadores au Pérou et les colonisateurs missionnaires et musulmans en Afrique ont systématiquement saccagé les tambours des peuples soumis comme s'ils symbolisaient leur âme. Il est vrai que ces derniers pouvaient être honorés comme un individu, nourris de riz, de graines de céréales, honorés de sacrifices animaux, voire de sang humain, parfois dépositaires, comme le portrait de Dorian Gray, de la vie d'une personne, la destruction de l'un entraînant la mort de l'autre. Certains Chinois se faisaient jadis enterrer avec leur tambour. On raconte à Kyongiu, en Corée, que le son, si émouvant de la cloche divine du roi Songdok, haute de plus de 3 mètres et pesant 23 tonnes, a son secret : une fillette aurait été sacrifiée, jetée dans le métal en fusion lors du coulage du bronze de l'instrument qui est censé protéger la région…

QU'EN PENSENT LES ANIMAUX ?

Les animaux ne s'y trompent pas : on cite toujours le cas des vaches autrichiennes qui produisent plus de lait si on leur fait entendre du Mozart à l'étable, mais les vaches texanes, sans doute sensibles aux goûts de leurs éleveurs, préfèrent-elles *Love me Tender* d'Elvis Presley et les françaises Johnny Hallyday ? Lorsque les Pink Floyd invitent le chien Seamus pour un enregistrement, celui-ci hurle à la mort tout le long du morceau plutôt que de japper en rythme. Les serpents restent sourds aux charmes de la flûte, les chevaux demandent un long apprentissage pour marcher au rythme d'une musique. Je me souviens du loulou de Poméranie de mon enfance, mon Kiki qui dansait avec une brosse à balai chaque fois qu'il entendait Dalida chanter *Bambino* à la radio, mais ce chien qui vivait dans un bar poussait l'anthropomorphisme jusqu'à boire de la bière – il a d'ailleurs fini épileptique ; peut-être l'origine d'une vocation…

Les chats ont normalement les oreilles très fragiles, mais ceux qui vivent sous mon toit depuis leur naissance viennent se coucher sur le piano lorsque je joue, sans doute sensibles aux vibrations des cordes graves du Bösendorfer, à moins qu'ils ne soient, comme dans une nouvelle de Ronald Dahl, la réincarnation de musiciens aimés (Kiss-Kiss) mais je n'ai retrouvé les verrues de Liszt sur le minois d'aucun d'entre eux. Les bancs de dauphins sauvages rencontrés en mer Rouge en compagnie de l'apnéiste Fréderic Chotard et de l'association Whales Whisperers (« ceux qui murmurent avec les baleines ») se sont finalement bien intéressés à notre groupe après que la cantatrice Yukimi Yamamoto et le guitariste Pedro Aledo eurent tenté de les séduire avec une adaptation du chant des oiseaux de Pablo Casals. Ils nous ont laissé les côtoyer plusieurs jours de suite et nous avons pu nous fondre dans leur troupe parfois vingt à trente minutes d'affilée, le cinéaste René Heuzey et le photographe Henri Eskénazi immortalisant l'événement. Aniruddh D. Patel a reçu un jour une lettre d'un ami linguiste qui initialement préférait les œuvres ultimes de Beethoven, mais s'est finalement intéressé à ses compositions antérieures après avoir constaté la nette préférence de son chien pour ces dernières. Et il n'y a pas que les loups qui aiment les variations sauvages d'Hélène Grimaud : le chien de Jean-Marc Luisada reste bien sagement assis à côté du piano de son maître pendant le concert.

TEMPS MUSICAL ET TEMPS D'HORLOGE

Contrairement aux autres arts, la musique est éphémère et se déroule dans le temps, comme la vie humaine. Que reste-t-il d'un concert après le concert s'interrogent les politiques avant d'engager une dépense publique pour un orchestre ? Des affiches, un souvenir, une émotion ? Pourquoi doit-on « exécuter » un morceau ? Le temps musical est symbolique. La musique est perçue comme une enveloppe qui protège et qui place hors du temps. « C'est la vie, c'est une partie de moi-même », explique une personne interrogée par Anne-Marie Green.

Au Yémen, à Sanaa, les hommes se réunissent quotidiennement après le déjeuner dans la grande salle de réception que possède chaque maison au dernier étage. Chacun s'assoit à la place qui lui est réservée en fonction de son rang. On fume le narghilé et l'on chique le qat – des feuilles séchées aux propriétés psychotropes amphétaminiques – en palabrant. Ensuite, les musiciens, grâce à leur virtuosité, s'emploient à exprimer la continuité et la fuite du temps par de larges formes ternaires enchaînées sans rupture, mais ils réussissent également à exprimer un autre temps issu de la mystique soufie : le temps qui surprend, celui du hasard, de l'inattendu, le temps du *wajd*, de l'exceptionnel, de l'extase, celui de l'incapacité de l'âme à soutenir les effusions du désir quand s'éveille le souvenir du bien-aimé ou de la bonté de Dieu et que n'aurait pas renié l'auteur d'*À la recherche du temps perdu*. Observant la montre de Nicolas Hulot, un Touareg a dit un jour à l'animateur d'*Ushuaia* : « Vous avez l'heure ; nous, nous avons le temps. »

Comme l'écrit Jean-Paul Sartre dans *L'Imaginaire* : « Qu'est-ce que la *Septième Symphonie* "en personne" ? » Se trouve-t-elle dans la partition, mais où est le manuscrit autographe de Beethoven ? Dans l'exécution ? Laquelle ? Celle de Furtwängler ou de Claudio Abbado ? Avec l'orchestre philharmonique de Berlin ou avec celui de Vienne ? Celle de Toscanini avec l'orchestre philharmonique de New York ? Ou avec l'orchestre symphonique de la BBC ? Laquelle parmi la dizaine de versions de Karajan ? Ludwig, où est donc passée la *Septième Symphonie* ? En as-tu parlé avec Goethe quand tu l'as rencontré à Teplitz en Bohême en 1811 et que tu composais cet opus ? Chaque fois ni tout à fait le même ni tout à fait un autre ! As-tu créé une matrice d'où s'échappent tous tes enfants, au gré des rencontres avec les interprètes ? Y a-t-il un code génétique ? Un code mimétique ?

La musique draine et organise la vie affective, non verbale ; elle contribue au tissage des liens sociaux. Indispensable à la fête, aux rites, elle constitue une métaphore de la vie, des hommes, de l'univers et des dieux. L'identité des divinités peut se traduire par des formules mélodiques et rythmiques comme dans le bouddhisme tibétain. Pour les Papous entre autres, la musique n'est pas une simple métaphore : les vibrations des rhombes, comme le son des tambours de bronze en Chine, constituent non seulement la voix des défunts, mais la présence de l'esprit invoqué.

LE SENTIMENT D'ÊTRE SOI

Avec le temps, la perte de l'acuité des systèmes sensoriels réduit les informations sur le monde extérieur et sur l'état du corps. La perte de l'efficience des mécanismes cognitifs, en particulier mnésiques, les efforts plus importants à fournir pour activer les réseaux neuronaux nécessaires à l'activation consciente du souvenir ou pour coder des informations nouvelles, la lenteur qui s'installe, la baisse des capacités attentionnelles, des neuromédiateurs, des hormones réduisent les possibilités d'adaptation. La confiance en soi et, bientôt, la conscience de soi vont se désintégrer.

Le sentiment d'identité, c'est la conscience pour l'individu d'être différent des autres et de rester le même dans le temps, malgré les années et les modifications physiologiques. C'est dire l'importance de la mémoire dans cette perception, et les nombreux facteurs de risque de dislocation avec l'âge à chaque étage de l'organigramme inspiré par Platon[9]. À la base du sentiment d'identité, on trouve le sentiment de confiance et de sécurité, instauré dès le début de la vie entre l'enfant et sa mère, sentiment d'attachement transféré plus tard sur le conjoint, puis un enfant, enfin un soignant qui doit être informé de la lourde responsabilité à assumer : celle de tuteur de résilience.

La mémoire des personnes âgées constitue une braise de résilience sur laquelle on peut souffler, écrit Boris Cyrulnik. D'un traumatisme initial avec effraction du sentiment de soi, des ressources internes peuvent être mobilisées par un tuteur de résilience et amener à la reprise d'une communication verbale et non verbale, d'une historisation, voire d'une chimérisation en fonction du contexte. Le philosophe Emmanuel Kant affirmait que notre réalité, notre vision du monde, n'est constituée qu'à partir des données forcément limitées apportées par nos

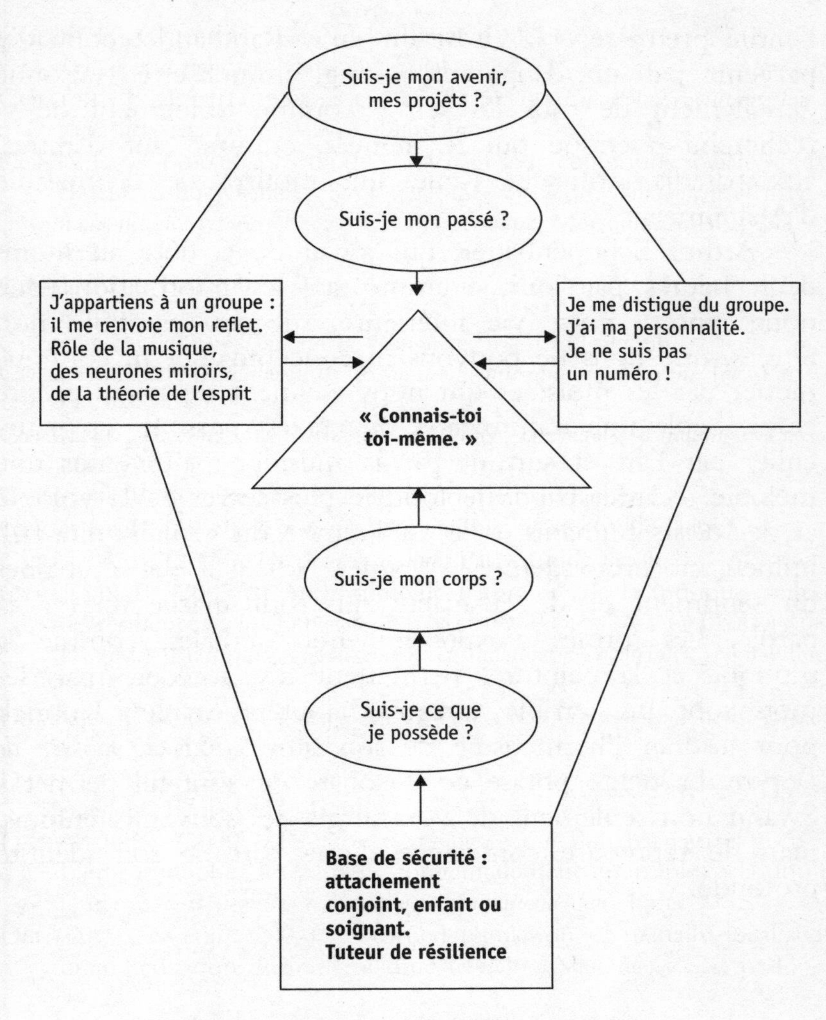

Figure 4 – Le sentiment d'être soi.

sens. Ces informations sont filtrées, réorganisées et interprétées par notre système nerveux en fonction de ses acquis et de sa physiologie. Nous sommes donc prisonniers de nos sens et de notre intellect et n'avons aucun autre moyen pour connaître ce qui existe en dehors, l'entité première, « la chose en soi ». Rimbaud tentera d'y parvenir par un dangereux « long, immense et raisonné dérèglement de tous les sens » comme fondement de sa recherche poétique qui le mènera, comme tant d'autres, aux paradis artificiels. Kant, lui, mourra de la maladie d'Alzheimer.

Arthur Schopenhauer, qui jouait de la flûte au moins deux heures par jour, a insisté sur les informations que nous apporte notre vie intérieure, sur ces sensations non filtrées, que nous ne pouvons ni conceptualiser ni communiquer par les mots, et qui nous viennent de notre propre corps. Seule une transmission directe est possible, en particulier par l'art et surtout par la musique : « Inventer une mélodie, éclairer par là le fond le plus secret de la volonté et des désirs humains, telle est l'œuvre du génie », dira-t-il, influençant profondément Wagner. « Il y a des domaines du sentiment et de la réalité qui sont inaccessibles à la parole. Les formes d'expression non verbales, comme la musique et la peinture, permettent d'y accéder, mais les mots sont un terrible carcan », ajoutera Stanley Kubrick pour justifier l'hermétisme de son film *2001, l'Odyssée de l'espace*. La petite phrase de la sonate de Vinteuil permet à Swann non seulement de voir surgir des souvenirs enfouis, mais de reprendre conscience d'une part de son identité profonde…

CHAPITRE 5

Musique et résilience

Cinquième mouvement : Fireworks Music

> « La musique possède un pouvoir de résilience puisqu'elle peut faire revenir une émotion passée et en permettre le remaniement par la maîtrise du chant et des souvenirs associés. »
>
> B. CYRULNIK.

Vieillissement, Alzheimer et résilience ? Comment imaginer un tel rapprochement ? La résilience suppose un traumatisme menant à l'agonie psychique, avec effraction du soi, du vécu intime, sidération de la pensée, destruction des liens familiaux et sociaux. Cette situation peut effectivement se retrouver chez la personne âgée, en particulier si elle souffre d'une maladie d'Alzheimer et lors du passage en institution. Elle implique également la reprise d'un processus dynamique permettant de surmonter cet état, la capacité à reprendre un type de développement après un traumatisme et dans des circonstances adverses.

Comment espérer un phénomène de résilience dans les conditions du vieillissement, et de surcroît dans le naufrage que constitue la maladie d'Alzheimer qui détruit peu à peu la mémoire, le fonctionnement cérébral et l'individu ? Faut-il raisonner comme les pharmacologues et parler de « déclin résilient » ? Dire qu'il peut exister des interactions tardives qui permettent à un sujet, comme avec la prise d'un médicament contre l'Alzheimer, d'être moins atteint, moins déclinant qu'un autre ? Constater le maintien possible de capacités affectives, émotionnelles et relationnelles, malgré la dégradation cognitive progressive[1] ?

Des voix se sont élevées, allant même jusqu'à nier la possibilité de mécanismes de résilience chez l'âgé, comme si le phénomène était l'apanage de l'individu en formation ou tout au moins jeune, comme si ce dernier ne devait pas à son tour vieillir, comme si sa résilience était un acquis pour toute une existence et ne représentait pas une lutte de chaque instant, comme si les personnes vieillissantes ne pouvaient avoir de projets de vie, comme si elles étaient déjà mortes, pétrifiées. « Quand le traumatisme survient au cours de la vieillesse, nous dit Boris Cyrulnik, une résilience est encore possible, utilisant le passé pour en faire un processus de développement. »

Œuvres ultimes et résilience

En 1989 s'est tenue à la fondation Maeght à Saint-Paul-de-Vence une exposition intitulée *L'Œuvre ultime.* La relecture de l'introduction du catalogue par Jean-Louis Prat évoque un processus de résilience chez des artistes reconnus, en fin de carrière, qui, plutôt que de s'arrêter couverts d'honneurs ou de se répéter inlassablement, se remettent à chercher. Ils trouvent de nouvelles voies, conservant intacts leur virtuosité et leurs acquis techniques, nourris d'une vie intérieure enrichie au fil des expériences esthétiques et émotionnelles : « Il est vrai que notre époque révèle et encense la jeunesse, accepte et glorifie parfois la période de maturité mais trop souvent ignore, nie ou rejette la vieillesse. Ceci est vrai pour tous, mais l'est encore plus pour les créateurs qui se retrouvent après la reconnaissance, le succès et quelquefois la gloire, laissés pour compte ou mis à l'écart vers la fin de leur vie par la critique et le public… Heureusement, dans la solitude de leur atelier, certains créateurs puisent *une force nouvelle* et oublient le temps qui passe pour franchir les frontières d'une nouvelle contrée qui les fait échapper à un métier qui pourrait être voué à un art plus académique. *Tout est remis en chantier* et aucune satisfaction ne peut assurer ou justifier la tranquillité dans la vie d'un peintre. Le doute, omniprésent et obsédant, empêche celui-ci de se complaire et de s'épanouir dans la quiétude. L'abîme le guette, celui par lequel il vit et *ressurgit*. Comme si l'artiste, à un moment donné, produisait une image qui se réfracte, qui lui permet de *rebondir*. Les précipices qu'il frôle chaque jour, qu'il provoque inconsciemment ou qu'il recherche éperdument, comme un désir inassouvi, le conduisent à une incessante exigence, à une ascèse... Cette quête éperdue convoque la recherche et amène souvent le créateur à une *résurrection* par une trouvaille apparemment anodine où l'indicible et l'imperceptible trouvent leur place. »

En musique, on pense au vieux Liszt, devenu franciscain, retiré à Rome au Vatican et qui, loin des frasques de sa jeunesse, compose une musique novatrice, plus austère, plus subtile, sans effets inutiles, exigeante, tels la *Via Crucis* ou l'oratorio *Christus*, annonçant l'impressionnisme musical d'un Debussy, l'atonalité d'un Schoenberg. On pense à Monteverdi qui invente l'opéra avec *Orpheo* en 1607 et perfectionne, avant de s'éteindre, les principes de sa création : il composera *Le Retour d'Ulysse en sa patrie* à soixante-dix-huit ans et *Le Couronnement de Poppée* l'année suivante. Rameau, lui, est quinquagénaire lorsqu'il crée son premier « opéra » pour l'Académie royale de musique en 1733, après une carrière d'organiste, de claveciniste et de théoricien de la musique. Il composera alors près d'un chef-d'œuvre par an jusqu'aux très novatrices *Boréades* écrites à quatre-vingt-un ans, lesquelles attendront l'été 1982 pour leur création triomphale à Aix-en-Provence. De même, *Turandot* sera l'aboutissement de la carrière de Puccini qui meurt à soixante-six ans d'un cancer de la gorge en laissant son opéra inachevé. César Franck, lui, compose ses œuvres les plus célèbres après l'âge de soixante ans : *Psyché* à soixante-quatre ans ans, la *Symphonie en ré mineur* à soixante-six, puis la célèbre *Sonate pour violon et piano en la majeur* qui inspirera Proust pour la sonate de Vinteuil, le quatuor à cordes et les trois chorals pour grand orgue avant de mourir des suites d'un accident de fiacre…

Camille Saint-Saëns, le génie précoce, compose et dirige jusqu'à sa mort en 1921 à quatre-vingt-six ans. Le compositeur tchèque Leos Janacek ne connaît la célébrité qu'après l'âge de soixante-deux ans, en 1916, à l'occasion de la reprise à Prague de son opéra *Jénufa* ; il écrit l'essentiel de son œuvre au cours de la dizaine d'années qui suivent, métamorphosé par son amour passionné pour Kamila Stôslova, une jeune femme de vingt-cinq ans, de surcroît déjà mariée, qu'il évoque dans *L'Affaire Makropoulos*. Il signera sa dernière œuvre *De la maison des morts* d'après Fédor Dostoïevski l'année de sa disparition. Gabriel Fauré atteint les sommets de son art à plus de soixante-dix ans, à la fin de la guerre de 14-18, alors que son audition est déficiente depuis plus de dix ans. De plus, il perçoit les notes graves une tierce plus haute et les aiguës une tierce trop basse ! Son style devenu plus austère et plus intérieur va aboutir à la création de chefs-d'œuvre comme son deuxième quintette pour piano et cordes ou son treizième nocturne, achevé en dix jours à l'âge de soixante-seize ans.

À quatre-vingt-treize ans, Henri Dutilleux n'a rien perdu de ses capacités créatrices. Il vient de terminer son œuvre *Le Temps l'horloge* pour voix et orchestre avec un interlude orchestral et une composition sur un poème de Baudelaire *Enivrez-vous*, créée le 7 mai 2009 à Paris par la cantatrice Renée Fleming, à qui l'ouvrage est dédicacé, et sous la direction de Seiji Ozawa. Horowitz a enregistré jusqu'à l'âge de quatre-vingt-six ans, quatre jours avant son décès, le pianiste chilien Claudio Arrau jusqu'à quatre-vingt-huit ans. Rubinstein donnait toujours des concerts à quatre-vingt-dix ans. Aldo Ciccolini a quatre-vingt-quatre ans et se produit toujours avec un talent intact... Charles Aznavour a le même âge et le public espère qu'il poursuivra quelques années encore sa tournée d'adieux, sa valise foisonnant de chansons inédites à enregistrer. Charles Trenet, le « Fou chantant », qui avait officiellement quitté la scène à l'Olympia en 1975 à soixante-deux ans, a fait un tabac au Printemps de Bourges douze ans plus tard et fêté ses quatre-vingts ans à l'Opéra Bastille en mai 1993 : « Y a d' la joie ! » Le poète donnera ses derniers concerts à la salle Pleyel en novembre 1999 avant de disparaître quinze mois plus tard. Après vingt années de silence (et de pétanque), Henri Salvador compose à quatre-vingt-trois ans son célèbre « Jardin d'hiver » et l'album le plus personnel et le plus abouti de sa carrière *Chambre avec vue.* Il reprend les tournées avant de tirer sa révérence en 2008...

Oscar Peterson a soixante-huit ans en 1993 lorsqu'il est victime d'une attaque cérébrale lors d'un concert à New York au Blue Note. Le bras gauche paralysé, il va pourtant terminer le spectacle : « *The show must go on !* » Il réussira à surmonter son handicap, et reprendra ses tournées, continuant à composer et à enregistrer jusqu'à son décès à quatre-vingt-deux ans. J'ai pu l'écouter un été au festival de jazz de Juan-les-Pins et le public a partagé ce soir-là un grand moment d'émotion et de recueillement : sous la pinède Gould, certaines improvisations du pianiste de Montréal en état de grâce rappelaient Jean-Sébastien Bach. La musique du cantor de Leipzig peut parfois, personne n'en doutait, swinguer terriblement et a inspiré des musiciens de jazz comme Jacques Loussier. Certains, et parmi les plus grands, vont souffrir dans leur corps, être handicapés par la perte d'un sens, et pourtant se rapprocher de l'absolu et tutoyer les dieux...

JEAN-SÉBASTIEN BACH : DU CERVEAU BIEN TEMPÉRÉ À LA THÉORIE DU CHAOS

Jean-Sébastien Bach perd progressivement la vue qu'il a tant sollicitée depuis l'enfance, quand il se levait la nuit pour recopier en secret des partitions convoitées à la lueur d'une bougie ou de la lune. Il souffre d'une cataracte, peut-être d'origine diabétique. Sur un de ses derniers portraits, on distingue une chute de la commissure labiale et de la paupière à gauche qui peuvent témoigner d'une petite attaque cérébrale. Il cumulait d'ailleurs les facteurs de risque vasculaire : un appétit d'ogre, un net embonpoint, quelques colères qui l'ont amené à se battre à coups de poing, oubliant pour un temps le clavier bien tempéré, une érythrose faciale sur un portrait tardif, peut-être le signe d'une hypertension artérielle chez l'inventeur du « caf' conc' » avec son ami l'aubergiste Zimmermann, ajoutons un goût pour le tabac et une cantate pour le café.

Auréolé de gloire après sa rencontre à Potsdam en 1741 avec l'empereur Frédéric II à qui il dédie l'*Offrande musicale* sur un thème proposé par le monarque, il ne va plus quitter Leipzig jusqu'à sa mort en 1750, se consacrant dans l'intimité à des œuvres de plus en plus complexes. En 1747, il devient l'un des vingt membres de la Société des sciences musicales, proche de la pensée de Leibniz, fondée par son ancien élève Lorenz Mizler, celui qui se fait appeler Pythagore. À ses côtés, nous l'avons vu, vont se trouver des correspondants comme Haendel et Léopold Mozart. Plutôt que de fournir des articles musicologiques, sa contribution va constituer en des œuvres musicales ayant valeur de démonstration théorique : l'*Offrande musicale*, les *Variations canoniques* pour l'orgue, et *L'Art de la fugue*. Sur le portrait officiel réalisé par Elias Gottlieb Haussmann pour l'entrée dans la société, Bach tient à la main la partition d'un canon triplex à six voix. Il figure parmi ceux qui complètent les *Variations Goldberg* et constitue une véritable énigme musicale dans laquelle le thème sera repris dans toutes les combinaisons possibles, y compris à l'envers (soit plus de deux siècles avant les audaces des Beatles !).

À mesure que sa vue l'abandonne, sa pensée musicale gagne en acuité pour sonder des abîmes infinis. La structure même du canon qui superpose des phrases musicales isomorphes préfigure les mathématiques des fractales et la théorie du chaos, considérée comme à la base des processus biologiques les plus intimes et des lois qui régissent l'univers. En 1749, il termine la *Messe en si* commencée vingt ans plus tôt. Rendu complètement aveugle par l'intervention chirurgicale désastreuse du chevalier Taylor en mars et avril 1750, qui s'attaquera par la suite à Haendel, il meurt le 28 juillet 1750 d'une congestion cérébrale. Dans la dernière des *Variations canoniques*, dans les trois dernières mesures de la variation ultime, qui mêle quatre canons, on assiste à une vertigineuse « mise en abîme » où tous les éléments se télescopent et se superposent, tout en faisant entendre à l'extrême fin les quatre notes - *si* bémol-*la*-*do*-*si* bécarre – qui, en allemand, s'épellent B-A-C-H, la signature sonore du maître, nous apprend Gilles Cantagrel. « S'il y a quelqu'un qui doit tout à Bach, c'est bien Dieu », commente Cioran.

BEETHOVEN : DU TESTAMENT D'HEILIGENSTADT *À* L'HYMNE À LA JOIE

En 1802, Beethoven a trente-deux ans et se retire à Heiligenstadt, à une heure de Vienne en calèche. Déprimé et révolté par sa surdité grandissante il songe au suicide et rédige son testament à l'intention de ses deux frères, le 6 octobre : « Ô ! vous autres qui me croyez hostile, rébarbatif ou misanthrope, ou me déclarez tel, comme vous me faites tort, car vous ne savez rien de la cause secrète de ce qui vous semble tel… depuis six ans, je suis dans un état désastreux, empiré par des médecins stupides… je dus très vite m'isoler, passer ma vie dans la solitude… parlez plus haut, criez, car je suis sourd. Comment me serait-il possible d'admettre la faiblesse d'un sens qui chez moi devrait être d'un degré plus parfait que chez les autres, un sens que je possédais autrefois à un tel degré de perfection que peu de gens de ma profession l'ont, ou l'ont eu… il s'en fallut de peu que je ne misse fin à ma vie, mais seul lui, l'art, m'en retint. Oh ! il me semblait impossible de quitter ce monde avant d'avoir accompli ce à quoi je me sentais disposé et, ainsi, je prolongerai cette vie misérable, vraiment misérable… Je suis prêt à subir mon sort, forcé que je fus, dès ma vingt-huitième année à être philosophe… que les malheureux se consolent d'avoir trouvé un de leurs semblables qui, malgré tous les obstacles de la nature, a fait tout ce qui était en son pouvoir pour être recueilli dans le rang des artistes et des hommes dignes… Je cours à la rencontre de la mort. Si elle vient avant que je n'aie eu l'occasion de développer toutes mes capacités artistiques, elle viendra trop tôt… viens quand tu voudras, je vais à ta rencontre avec courage. » Il ajoute le 10 octobre : « Cher espoir – espoir que je portais en moi, en venant ici, d'obtenir au moins jusqu'à un certain point ma guérison – cet espoir doit à présent m'abandonner complètement. Comme tombent les feuilles d'automne qui sont fanées, cet espoir lui aussi pour moi s'est atrophié… le grand courage… a disparu. »

Les œuvres beethoveniennes de l'extrême maturité témoignent d'un artiste ayant vécu sans jamais cesser d'apprendre au contact de la vie : les difficultés techniques de la sonate *Hammerklavier* opus 106, l'ultime mouvement de la trente-deuxième et ultime sonate pour piano, opus 111, si prisée par le pianiste chilien Claudio Arrau, les variations sur un thème de Diabelli, opus 120, la dernière œuvre pour piano et les quatuors à cordes. Oliver Sacks pense que la surdité a pu renforcer l'imagination musicale du compositeur : « La disparition de l'imput auditif normal peut en effet favoriser l'apparition d'une hypersensibilité du cortex auditif qui est susceptible d'accroître encore la force de l'imaginaire musical. » Aldous Huxley, dans *La Paix des profondeurs*, livre : « Quels trésors étonnants, quels trésors troublants parfois ! On songe à l'ineffable sérénité du mouvement lent du quatuor en *la* mineur de Beethoven, à la paix au-delà de toute compréhension du prélude orchestral du "Benedictus" de sa *Missa Solemnis*. Mais là n'est pas la seule humeur du vieil homme ; lorsqu'il se détourne de la contemplation de l'éternelle réalité pour considérer le monde de l'homme, il nous régale de la gaieté proprement terrifiante du dernier mouvement de son quatuor en *si* bémol majeur – hilarité tout inhumaine, avec des éclats d'un rire violent et cependant, en quelque sorte, abstrait qui nous viennent, par échos, de quelque part au-delà des confins de ce monde. » Hymne à la joie ?

MOZART ET LA MORT

Mozart, qui, comme le remarquait Pierre Desproges, a tout fait très vite puisqu'à trente-six ans, il était déjà mort, s'était depuis longtemps fait à l'idée : « La mort… je me suis tellement familiarisé avec cette véritable et parfaite amie de l'homme, que son image n'a plus rien d'effrayant pour moi ; elle m'est apaisante, consolante », écrit-il le 4 avril 1787 à son père, qui succombe quelques semaines plus tard.

En 1788 débute la misère, les commandes, puis les compositions se raréfient jusqu'en 1791, avec parfois de très longues périodes sans écrire une note. Difficile pour

Mozart de défendre des idées de liberté, d'égalité et de fraternité et d'obtenir des engagements de la noblesse lorsque Marie-Antoinette, la propre sœur de l'empereur, va se faire décapiter ! « Papa », Joseph Haydn, qu'il voit une dernière fois le 15 décembre 1790 avant son départ pour Londres, tente de l'emmener avec lui, n'y arrive pas, mais le tire de sa torpeur. Emmanuel Schikaneder, le Robert Hossein de l'époque, directeur du théâtre populaire Auf der Wieden dans la banlieue viennoise, le réveille pour de bon le 7 mars 1791 à 8 heures du matin. Mozart le connaît depuis son triste retour à Salzbourg au service de l'archevêque Colloredo, après l'échec de sa tournée parisienne de 1778 au cours de laquelle il a vu sa mère mourir et ses espoirs de brillante carrière s'évanouir. La venue d'Emmanuel Schikaneder et de sa troupe de comédiens ambulants en 1780 lui a ouvert des horizons. Moyennant quelques morceaux de musique, la famille Mozart a pu assister gratuitement aux représentations. Celui qui a été le premier Hamlet allemand a ainsi fait découvrir à son cadet, outre Shakespeare, Beaumarchais et le Figaro du *Barbier de Séville* ou encore le ballet de Glück sur le thème de Don Juan *Les Statues animées*.

En 1791, Schikaneder vient le tirer du lit pour lui proposer le livret de *La Flûte enchantée* : « Mozart, tu me tireras de la ruine, et tu montreras au monde que tu es l'homme le plus noble qui ait jamais existé ! » L'espoir renaît et les chefs-d'œuvre se succèdent : l'*Ave Verum* en juin 1791, le *Concerto pour clarinette* le 7 octobre, *La Flûte* le 30 septembre. Le succès est énorme et la critique unanime. L'opéra se joue à guichets fermés pendant plusieurs mois, les commandes pleuvent, mais Mozart meurt le 5 décembre 1791. *Requiem*.

RICHARD STRAUSS : AINSI PARLAIT ZARATHOUSTRA

Endeuillé par la disparition de son fidèle librettiste Hugo von Hofmannsthal en 1929, compromis par ses liens avec le régime nazi dès 1933 malgré son amitié pour l'écrivain Stephen Zweig, Richard Strauss connaîtra une longue panne d'inspiration. L'auteur d'*Ainsi parlait Zarathoustra* a composé un hymne olympique pour les Jeux de Berlin en 1936 et une musique de fête japonaise pour célébrer le rapprochement du IIIe Reich et de l'empire nippon, pensant protéger sa belle-fille et ses petits-enfants qui sont juifs. Anéanti par la destruction des hauts lieux de la culture allemande comme l'Opéra de Munich par les bombes alliées, mais aussi par son implication dans le cadre des procès de dénazification, il renaît pourtant sur le plan artistique après la guerre, à quatre-vingts ans passés, après une phase d'introspection au cours de laquelle il va relire Goethe et retrouver « l'esprit immortel du divin Mozart » (chimérisation ?) à qui il dédie sa deuxième sonatine pour seize instruments à vent en 1945. Suivront, entre autres, le *Concerto pour hautbois et petit orchestre*, né de sa rencontre avec un officier américain de la CIA musicien (tuteur de résilience ?), *Les Métamorphoses*, vaste mouvement polyphonique « pour vingt-trois cordes solistes » comportant des réminiscences de la *Symphonie héroïque* de Beethoven et les sublimes quatre derniers lieder en 1948, un an avant sa mort, sur des textes de Hermann Hesse.

ARNOLD SCHOENBERG ET LA NUIT TRANSFIGURÉE

Le 2 août 1944, Arnold Schoenberg, soixante-dix ans, est déclaré cliniquement mort. Celui qui a commencé sa carrière en 1899 avec un chef-d'œuvre inspiré par Wagner et par Richard Strauss *La Nuit transfigurée*, avant de révolutionner la musique en inventant le système atonal en 1907, puis le dodécaphonisme en 1921, vient d'être mis à la retraite par l'Université de Californie avec une pension dérisoire. Il doit donner des cours particuliers pour survivre et à la suite d'une crise d'asthme, comme le fils du Père Fouettard devant la fille du Père Noël selon Jacques Dutronc, « de battre son cœur s'est arrêté ». Une injection intracardiaque d'adrénaline, très douloureuse, va le ressusciter. Cette expérience lui inspirera un chef-d'œuvre qu'il écrira en un mois, supérieur selon certains à sa production antérieure. Le *Trio à cordes*, opus 45, établit ainsi un pont entre son expérience déchirante de l'infarctus du myocarde et celle du dodécaphonisme.

LE CAS VERDI : BEL CANTO *CONTRE FRACAS WAGNÉRIEN*

Le 24 décembre 1871, l'opéra *Aïda* est créé au Caire, à la demande du khédive d'Égypte, pour l'inauguration du canal de Suez : c'est un triomphe. À cinquante-huit ans, Giuseppe Verdi est au sommet de sa gloire. Adulé, riche, bientôt nommé sénateur du royaume d'Italie, sa réputation est internationale. Il va pourtant se taire et ne composera plus d'opéra jusqu'à l'âge de soixante-treize ans, si ce n'est le *Quatuor à cordes en mi mineur* en concert privé à Naples, le *Requiem* et quelques versions révisées des opéras *Simon Boccanegra* et *Don Carlo*. La première d'*Othello*, qui aura lieu le 5 février 1887, constitue pour beaucoup, avec *Falstaff* cinq ans plus tard, le sommet de sa carrière sur le plan musical. Pourquoi ce silence, et cette résurrection miraculeuse quinze ans plus tard ? Peut-on parler de résilience ? Quels pourraient en être les mécanismes ? Un traumatisme psychique a-t-il pu anéantir le compositeur, l'amener à douter de sa valeur, à se remettre en cause et à se taire ? L'affaire est d'importance et mérite que l'on s'y attarde.

Le premier coup de semonce est peut-être venu de celui qui le sauvera quelques années plus tard et deviendra sans doute son « tuteur de résilience ». Arrigo Boito, en 1863, est un jeune auteur, membre influent de la bohème milanaise des « chevelus », les Scapigliatura. Il voit en Franco Faccio, le « musicien de l'avenir ». Ce compositeur vient de terminer à vingt-trois ans un opéra joué à la Scala et se réclame de l'esthétique allemande, en particulier de Wagner. Boito écrit, égratignant le maître qui est alors une institution nationale, sans aucun concurrent sérieux : « Peut-être est-il déjà né celui qui sur l'autel / Replacera l'art, pudique et simple, / Sur cet autel souillé comme un mur / De lupanar. » Il est vrai que Boito nourrit quelque rancune contre Verdi. L'année précédente, il a composé pour lui le texte d'une cantate patriotique, l'hymne des nations, qui a été joué à Londres pour l'exposition internationale et qui a été un échec. « L'hymne m'a échappé », a expliqué Verdi, fataliste mais amer. Boito reçoit alors un petit mot sec du maître, accompagné d'une montre en cadeau. Le commentaire dit : « Elle vous rappellera mon nom et la valeur du temps » ! Boito n'oubliera pas la leçon.

Le coup de grâce semble, lui, porté en 1870. Malgré la signature officielle du contrat pour *Aïda*, les retards accumulés par Verdi lui valent quelques remontrances, on le menace de confier le projet entre autres à... Richard Wagner ! La presse entretient l'idée d'une compétition entre Wagner et Verdi, toute louange de l'un se lisant comme une critique de l'autre. *Tannhäuser* est ainsi sifflé par les partisans de Verdi qui se gausse, affirmant que son sommeil pendant un opéra de Wagner n'est pas plus profond que celui de la majorité du public allemand. Pourtant, l'Italien suit de près la carrière de son rival de Bayreuth né comme lui en 1813 et qui prône une conception de la musique à l'opposé de la sienne : primauté de l'harmonie sur la mélodie, de l'orchestre sur les chants, opéras symphoniques, musicolangage, « art total », « théâtre philosophique ». On se croirait revenu à la querelle des bouffons entre Rousseau et Rameau !

En novembre 1871, un mois avant la première d'*Aïda* au Caire, Verdi intrigué assiste à une représentation de *Lohengrin* à Bologne. Arrigo Boito l'accompagne. Les deux hommes évitent les sujets qui fâchent et déclareront plus tard n'avoir discuté que « de la difficulté de dormir dans un wagon de chemin de fer ». Quelques cuivres wagnériens célèbres vont néanmoins surgir de la partition d'*Aïda*, les fameuses trompettes, annonçant la longue période de silence de Verdi. C'est à partir de là que le compositeur refuse en effet tout poste de responsabilité dans l'enseignement de la musique. Il prône le retour à Palestrina, aux polyphonies de la Renaissance, se recroquevillant dans les classiques italiens : « Si les artistes du Nord et ceux du Sud ont des tendances différentes, qu'elles restent donc différentes ! Chacun doit garder le caractère qui est propre à sa nation, comme l'a fort bien dit Wagner. Heureux, vous qui êtes encore les fils de Bach ! Et nous ? Nous qui sommes les fils de Palestrina, nous avions une grande école, jadis, et qui nous était propre ! » Peine perdue. Giuseppe Matucci à Naples et surtout Giovanni Sgambati à Rome sont marqués par les modèles allemands et veulent montrer que les Italiens peuvent aussi exceller dans la symphonie et la musique de chambre. Sgambati enchante Wagner par son quintette et ses lieder et *Tristan* est joué à Bologne en 1888. Quant à Puccini, il comprend que certaines émotions comme la mort ou l'amour peuvent être transmises par la musique sans avoir besoin de recourir à la parole. « Que diable ! proteste Verdi. Si nous sommes en Italie, pourquoi faisons-nous de l'art allemand ? Il y a dix ou douze ans, on voulait me nommer président d'une société de musique de chambre. Je refusai et demandai : mais pourquoi ne créez-vous pas plutôt un ensemble vocal ? Car c'est cela qui est italien. L'autre, c'est de l'art allemand. »

Que s'est-il donc passé ? Est-ce un traumatisme lié à l'effondrement de certitudes chez un compositeur fragile et hypocondriaque, qui tremble sur son piédestal sous les attaques de Boito ? Est-ce la découverte d'un monde musical fascinant, diamétralement opposé au sien, fruit du génie d'un compositeur allemand – un comble pour un musicien qui symbolise la lutte d'un pays contre l'envahisseur autrichien depuis « Le chœur des esclaves » de *Nabucco*, pour un député du Risorgimento dont la musique et le nom sont devenus les symboles de l'unité italienne : « Viva VERDI ! » (Victor Emmanuel Re d'Italia).

Une lettre de 1869 adressée à un critique musical qui pensait avoir trouvé une réminiscence de Schubert dans *La Forza del Destino* témoigne en tout cas de ses doutes : « Ne croyez pas que, lorsque je parle de mon ignorance crasse, ce soit par plaisanterie. Non, c'est la vérité pure. Chez moi, on n'entend presque pas de musique, je ne suis jamais allé dans une bibliothèque musicale, ni chez un éditeur, pour consulter une partition. Je suis au courant de quelques-unes des meilleures œuvres contemporaines, non que je les aie étudiées, mais pour les avoir parfois entendues au théâtre. »

Phase de sidération, silence créatif puis comportement résilient d'exploration ? En effet, Verdi ne reste pas inactif pendant cette période. Sa maison du domaine de Sant'Agata regorge de partitions nombreuses et variées qu'il compulse et annote avec soin, contrairement à ses propos. Il apprend la « musique du Nord » : Bach, du *Clavier bien tempéré* aux partitas, aux chorals, aux fugues, à la *Messe en si* ; Haendel et ses oratorios à l'époque délaissés ; Haydn, Beethoven, Mozart dont les symphonies et surtout les quatuors, avec ceux de Schumann et de Mendelssohn, vont le guider dans son incursion périlleuse dans la musique de chambre de 1873. Le *Requiem* de Mozart et la *Missa Solemnis* de Beethoven l'inspireront pour son propre requiem. Il lit aussi le *Traité d'instrumentation* de Berlioz, possède la partition de *La Damnation de Faust*, les *Poèmes symphoniques* de Liszt ainsi que les grands opéras et les œuvres littéraires de… Richard Wagner !

Quand Wagner meurt à Venise en février 1883, il a atteint avec *Parsifal*, joué à Bayreuth l'été précédent, le point culminant de ses recherches esthétiques et mystiques. Verdi déclare : « C'est triste ! Triste ! Triste ! Wagner est mort ! Lisant hier la nouvelle, j'en suis resté, je dois dire, atterré ! Ne discutons pas. C'est une grande personnalité qui disparaît ! Un homme qui laisse une empreinte très forte dans l'histoire de l'art ! Adieu. » Et c'est à ce moment-là qu'Arrigo Boito intervient. Il déteste désormais Wagner et propose au vieux maître, autrefois brocardé, de se remettre au travail, d'innover, de reprendre un récit, un opéra à partir du livret qu'il lui a confectionné sur *Othello*.

Librettiste, puis confident, puis tuteur de résilience, Boito est tenu pour responsable de l'évolution stylistique des dernières œuvres de Verdi. Son influence est grande. En 1884, la version révisée de *Don Carlo* est donnée à la Scala. L'année 1887 voit la création d'*Othello* et Verdi, qui s'en défend, étoffe l'orchestre et reprend quelques idées wagnériennes dans ses deux derniers opéras, même s'il en supprime les ouvertures. Cinq ans plus tard, *Falstaff* triomphe à son tour. À quatre-vingt-six ans Verdi proclame : « Mais je suis encore jeune et je cherche sans me lasser à entrer dans le monde wagnérien. Je lui dois d'innombrables heures de merveilleuse exaltation. […] Je pense que le second acte de *Tristan*, en particulier sa géniale instrumentation, est une des créations les plus sublimes de l'esprit humain dans le champ de l'invention musicale. »

BIENVENUE AU BUENA VISTA SOCIAL CLUB

L'histoire est célèbre. Le musicien guitariste et producteur américain Ry Cooder, rendu célèbre en 1969 par ses collaborations avec les Rolling Stones, est un passionné de musiques traditionnelles, d'abord aux États-Unis, puis dans le monde entier : Hawaii, Mexique, Japon, Irlande, Galice, Mali, Inde. Il garde aussi des contacts avec les bluesmen américains tels John Lee Hooker.

Dans les années 1970, il rencontre le réalisateur allemand Wim Wenders et compose la musique du film *Paris, Texas*, palme d'or à Cannes en 1984. En 1996, il part à la recherche de créateurs de la musique cubaine et produit l'album *Buena Vista Social Club* en réunissant des vétérans oubliés du son cubain : Compay Segundo qui a alors quatre-vingt-neuf ans, Ibrahim Ferrer, Ruben Gonzalez, Eliades Ochoa, Omara Portuondo… La rencontre sera filmée par Wim Wenders et connaîtra un succès planétaire.

Inventeur de l'armonico, sorte de guitare à sept cordes, Compay Segundo a acquis par son talent et son humour, avec son duo Los Compadres, une renommée à Cuba et dans le monde hispanophone entre 1942 et 1955. Il a ensuite retrouvé son emploi de *tabaquero* (« fabriquant de cigares »). Pourtant, dès l'heure de la retraite, en 1970, il reprend des activités musicales, crée le Carteto Daiquiri et enregistre un disque, créant son tube « Chan Chan » en 1988, à quatre-vingt-un ans. Il sillonne l'Europe en 1994-1995 et obtient un disque d'or avec l'album *Yo Vengo Aqui* en 1996.

Ibrahim Ferrer a soixante-neuf ans lorsqu'il rencontre Ry Cooder. S'il a fondé son premier groupe dès l'âge de treize ans avec son cousin, Los Jovenes del Son, puis rejoint le Chepin Choven Orchestra et chanté le célèbre *El platanal de Bartelo*, sa carrière s'était terminée avec l'embargo américain du début des années 1960. À soixante-neuf ans, il gagnait sa vie en cirant des chaussures dans la rue, vouant un culte quotidien à saint Lazare, qui comme chacun le sait, est le saint patron des résilients.

La linguiste Claire Maury-Rouan décrit une capacité de recul, « un regard en surplomb », de la part des résilients. Voici comment Ibrahim décrit sa rencontre avec Ry Cooder : « À peine descendu de la voiture, le producteur américain m'a dit qu'il faisait un disque et qu'ils avaient besoin de moi. Je suis rentré dans la maison, je me suis lavé le visage, j'ai mis une chemise blanche, une casquette et des souliers. Puis je suis parti vers le studio. »

La suite est célèbre : il enregistre douze des quatorze titres du disque *Buena Vista Social Club* dont le poignant boléro « Dos Gardenias » en duo avec Omara Portuondo. En 1999, Ry Cooder produit son premier disque solo, il a alors soixante-douze ans. En 2003, un deuxième album *Buenos Hermanos* est sacré meilleur album de musique tropicale aux Latin Grammy Awards. En 2005, dernière tournée européenne avec une étape au festival des Vieilles Charrues et un dernier concert à Jazz in Marciac le 2 août. Ibrahim décède le 6 août à La Havane. Si Ry Cooder a pu jouer un rôle de tuteur de résilience, le fameux sentiment d'« appartenance générationnelle » cher au psychiatre Gérard Ribes a dû constituer un élément non négligeable dans la cohésion et le succès du groupe.

Ruben Gonzalez, le pianiste, est mon préféré. Né à Santa Clara le 26 mai 1919, il a donc soixante-dix-sept ans au moment de la formation du groupe. Il entreprend des études de médecine, mais se tourne très rapidement vers la musique et sera diplômé du conservatoire de Cienfuegos en 1934. Il aurait pu choisir une carrière dans la musique classique, mais préfère son trio de pianistes virtuoses avec lequel il va poser entre les années 1940 et 1950 les bases du mambo, mariant rythmes africains et improvisations jazz. Il tourne au Panama, à New York, en Argentine et s'initie au tango. Au début des années 1960 il invente le cha-cha-cha avec l'orchestre d'Enrique Jorrin dont il prendra plus tard la direction. Hélas, des problèmes de rhumatismes l'obligent à prendre sa retraite. Il ne possède même plus de piano, jouant çà et là dans des hôtels ou des écoles de danse. Mais le piano lui-même est un instrument résilient : percutées et frappées par les marteaux, les cordes se déforment. Et c'est en retrouvant leur aspect initial qu'elles prennent vie, vibrent, émettent leur musique et racontent leurs histoires.

À la fin de l'enregistrement du disque avec le Buena Vista Social Club, Ruben demande timidement s'il peut avoir le studio une journée supplémentaire pour lui, ce que Ry Cooder accepte bien volontiers. Et c'est donc en un seul jour qu'il enregistre son extraordinaire premier album solo *Introducing... Ruben Gonzalez*. Il a soixante-dix-sept ans, d'autres merveilleux albums suivront jusqu'à son décès à La Havane en 2003. Dans le film de Wim Wenders, on le voit retrouver New York, contemplant la ville du sommet de l'Empire State Building et égrenant des souvenirs vieux de près d'un demi-siècle auxquels il ne semble plus avoir pensé depuis longtemps.

J'ai eu le plaisir d'entendre jouer Ruben à Marseille. Le piano se trouvait à gauche de la scène et l'artiste entrait par la droite. Il marchait avec difficulté, soutenu par deux personnes. Ses mains étaient complètement déformées par les rhumatismes. Sitôt installé au clavier, il souriait, l'œil pétillant et malicieux, n'hésitant pas à tirer la langue à ses musiciens si cela s'avérait nécessaire. Ses doigts retrouvaient alors toute leur souplesse comme par enchantement et les critiques décrivaient son jeu félin comme issu d'un croisement entre Theolonious Monk et Félix le Chat !

Voyage en sous-marin jaune

« Si ce n'est pas un miracle, ce n'est pas du Mozart ! »
A. RUBINSTEIN.

La musique agit sur les émotions, sur les différents types de mémoires, tant épisodique (effet « madeleine de Proust ») que sémantique (indiçage), unie à la danse, elle stimule la mémoire procédurale, peut-être également la cognition ; elle permet de maintenir un lien social, une communication, une représentation de soi et constitue une braise de résilience.

Le concept de résilience vient de la physique où il désigne la capacité d'un matériau à reprendre sa forme après un choc ou une grande pression. On dit ainsi que la coque d'un sous-marin est résiliente lorsqu'elle se révèle capable de supporter des pressions considérables lors de ses plongées et lorsqu'elle reprend sa forme primitive quand le sous-marin refait surface.

Supposons que nous pénétrions en musique par l'oreille, par exemple dans un sous-marin jaune, celui des Beatles. Vous vous souvenez ? L'album *Revolver* en 1966, avec « Eleanor Rigby », puis le dessin animé ? Allez, en route pour Pepperland !

Pour commencer, nous suivons les courants ascendants du tronc cérébral, rallions le thalamus avant d'émerger à la surface, au niveau de la partie supérieure du lobe temporal, dans le planum, plus gros à gauche si vous êtes droitier, musicien et si vous avez l'oreille absolue. À peine arrivés, nous sacrifions aux formalités de la douane, déclinant notre identité par un bref couloir antérieur, temporo-frontal, empruntant un autre couloir plus long temporo-pariéto-frontal pour signaler notre lieu de provenance. Puis les membres de l'équipage se séparent. Paul le mélodiste va se promener dans l'hémisphère droit pendant que Ringo reste au port, sur le lobe temporal gauche, enflammant les bars au rythme de sa batterie (nommée Ludwig !) qui résonne jusque dans les ganglions de la base. Georges les accompagne harmonieusement tour à tour avec John qui place son timbre de voix si particulier à droite et ses paroles à gauche, au Wernicke's, un bar allemand dans lequel il retrouve Ringo dans la soirée, et qui leur rappelle avec nostalgie leurs débuts à Hambourg. Mais l'heure du départ a sonné et nous devons appareiller vers les rivages de la mémoire et le continent des émotions, à la recherche d'un petit poisson à tête de cheval qui nage à la verticale. Fermez les écoutilles, remplissez les ballasts, parez à la manœuvre !

Après notre visite des aires auditives primaires puis associatives, il nous faut de nouveau plonger au plus profond du cerveau, vers l'intérieur cette fois du lobe temporal, et converger vers une étroiture, le cortex entorhinal, sorte d'entonnoir pour toutes les informations collectées, qui nous permet d'atteindre notre objectif, l'hippocampe, la cinquième circonvolution du lobe temporal. Quelques turbulences vont nous balancer entre ces deux structures et nous traverserons ainsi plusieurs fois le gyrus denté et sa pouponnière de neurones, la seule de tout l'organisme humain, et contemplerons, émus, la région des neurones pyramidaux avant que le souvenir de notre passage ne s'imprime à jamais dans la mémoire épisodique de notre hôte.

Notre arrivée est d'ailleurs très remarquée : le cervelet avait repéré notre venue alors que nous n'étions encore que dans le tronc cérébral et l'hippocampe est une groupie. Il va s'empresser de signaler notre présence à de nombreuses zones du cerveau avec lesquelles il est connecté. La nouvelle se répand comme une traînée de poudre. En tout premier lieu est prévenu son parrain l'amygdale. Il était déjà informé par le cervelet et accepte notre présence. Il est directement impliqué dans les émotions et va réveiller tout le monde d'un coup de pied dans le tronc cérébral, excitant au passage le cortex auditif pour qu'il soit plus attentif à notre musique, prévenant le nucleus accumbens qui nous ouvre les portes du plaisir et du grand casino pour le show, nous suppliant déjà de revenir vite et piratant nos musiques pour pouvoir continuer à les écouter après notre départ. Plus haut d'autres copines, à la poitrine généreuse, les corps mamillaires, sont également averties et participent à la liesse, informant à leur tour le cortex cingulaire, toujours très empathique, et qui ne demande qu'à s'embraser. Quelques garnements s'empressent sournoisement d'aller bâillonner le lobe préfrontal, le plus évolué, le surveillant général, pour le contraindre au silence. Secoués par les circuits neurovégétatifs, l'adrénaline, le cortisol accélèrent le cœur, font transpirer notre hôte, lui dilatent les pupilles, il reprend en chœur nos hymnes et ne tarde pas à danser : c'est la Beatlemania ! Progressivement, il intégrera ce souvenir dans son cortex cérébral, et si un autre sous-marin musical se présente ultérieurement, il commencera par l'analyser, le gardant un instant dans sa mémoire de travail, dans le lobe frontal, pour le comparer à notre embarcation. Il reconnaîtra grâce à sa mémoire sémantique (temporale) un sous-marin, mais saura le distinguer du nôtre.

Et si nous revenons longtemps après, et que notre hôte est atteint par la maladie d'Alzheimer, nous ne pourrons plus emprunter le même chemin car le cortex entorhinal est la première zone du cerveau à être détruite. Les neurones sont à la fois gangrenés par des filaments qui les rongent de l'intérieur, c'est la dégénérescence neurofibrillaire, et étouffés à l'extérieur par un véritable dépotoir constitué de plaques séniles, agrégats de protéines bêta-amyloïdes autrefois impliquées dans la plasticité cérébrale mais devenues inutilisables, et qui détestent la musique. Elles nous bouchent le passage vers l'hippocampe. Ce dernier, isolé, ne tardera pas à être atteint, entraînant la mémoire épisodique dans sa chute, puis les lobes temporaux et la mémoire sémantique, les cortex associatifs, la lecture, l'écriture, le langage, l'orientation temporo-spatiale, puis les cortex primaires avec les afférences sensorielles… Naufrage ! Pourtant, le retour de notre sous-marin jaune sera tout de même fêté par notre hôte déclinant, avec tout le panache qu'un tel événement mérite.

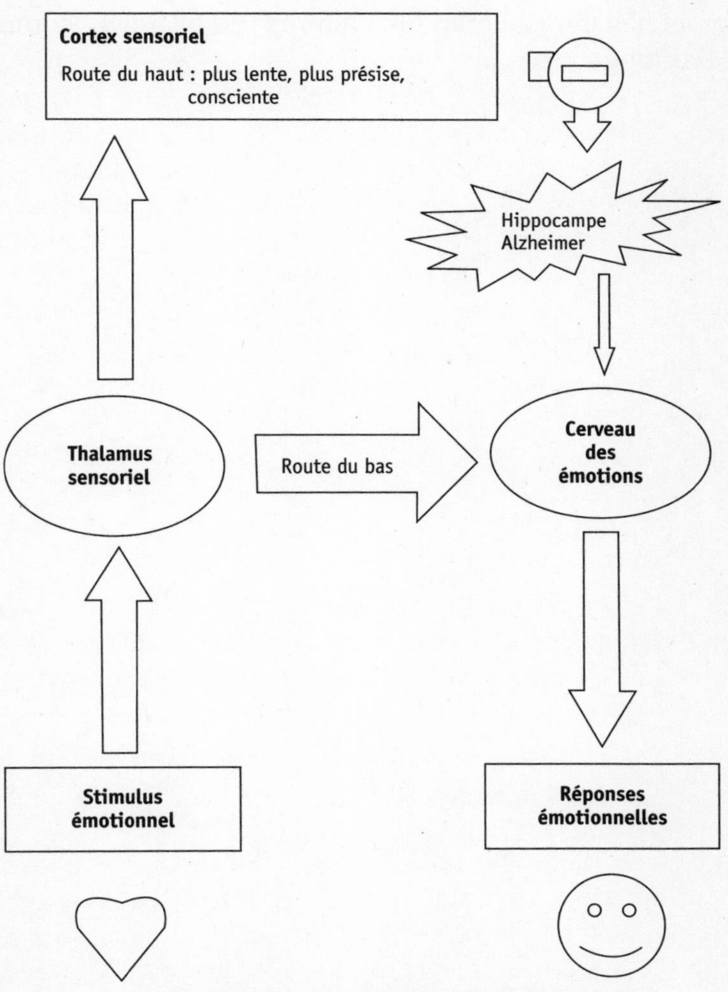

Figure 5 – Une alternative possible
en cas de maladie d'Alzheimer.

John, Paul, George et Ringo ont trouvé une autre route pour éviter la voie barrée et ranimer les braises du souvenir de leur venue : ils ont tout simplement court-circuité le passage initial par le cortex cérébral, bifurquant dès le thalamus vers l'amygdale, qui les a accueillis à bras ouverts, s'effaçant pour leur laisser le passage, embrasant une nouvelle fois le cerveau émotionnel qui ne les a pas oubliés et faisant « hennir les chevaux du plaisir », comme disait Bashung.

Coda
La flûte enchantée

> « Un auditoire éprouvera cette impression que,
> si l'orchestre cessait de déverser son influence,
> l'idole en scène resterait, aussitôt, statue. »
>
> MALLARMÉ.

Le concert est terminé et la nuit nous surprend. Les auditeurs enthousiastes échangent encore quelques mots, quelques poignées de main sur le parvis de l'église. Ils félicitent à nouveau le chef et son orchestre puis se dispersent et rentrent bien vite chez eux réchauffer les plus fragiles qui avancent d'un pas hésitant. Garderont-ils quelques traces de cette soirée, comme les grains de sable mis en mouvement par l'archet de l'acousticien ?

Le maire offre une collation aux musiciens dans un bar proche et la place se vide.

Je reste seul un instant face à la mer, pensif, et c'est en me retournant que je l'aperçois : entre l'église et la mairie se dresse une statue, celle d'un adolescent fantasque, nu comme un ver, l'air malicieux et qui joue de la flûte. J'ai longtemps cru qu'il s'agissait d'une reproduction de la statue du (Peter) Pan de Hyde Park, mais ce dernier n'est pas connu comme exhibitionniste et sa ressemblance avec le jeune homme enjoué qui est arrivé au dernier moment au concert (et qui avait disparu avant la fin) est trop frappante pour qu'un doute subsiste.

Je t'ai reconnu, fils d'Isis et, en dehors du pianiste viennois Friedrich Gulda qui sut marier tous les genres musicaux avec brio et t'idolâtrais au point de tirer sa révérence un 27 janvier, le jour de ta naissance, je ne connais qu'un seul musicien frondeur qui prendrait ainsi plaisir à jouer de la flûte, au milieu d'une place publique et dans le plus simple appareil, enfant pour l'éternité.

Tu valais mieux que la fosse commune ! Je vais aller chercher mon *Glockenspiel* et te tenir un instant compagnie. « La musique est la respiration des statues », écrivait Rainer Maria Rilke et je sais désormais ce que j'ai à vous dire.

Bandol, juin 2009.

Notes

CHAPITRE 1

Le cerveau musical existe

1. Signoret, Van Eckhout, Poncet et Castaigne, 1987.
2. Engineer et coll., 2004.
3. Fujioka et coll., 2006.
4. Jäncke et coll., 2001.
5. Sluming et coll., 2007.

CHAPITRE 2

De la musique avant toute chose ?

1. McDermott et Hauser, 2004
2. Trehub et Trainor, 1998.
3. Krumhansl et Jusczyk, 1990.
4. Rappoport, 2004.
5. Imberty, 2004.
6. Bradshaw, 2003.
7. Miller, 1981 ; Ruhlen, 1994 et 1995.
8. MacNeilage, 1998.
9. Jürgens, 2002.

CHAPITRE 3

Les effets de la musique sur le cerveau

1. Gosselin et coll, 2005.
2. Platel, 2003.
3. Sutherland 1982.
4. Porro et coll., 1996.
5. Pascual-Leone et coll., 2005.
6. Lafleur et coll., 2002.
7. De Charms et coll., 2004.
8. Holstege et coll., 2003.
9. Letortu et Platel, 2007.

10. Leuba et Savioz, 2005.
11. Dejerine, 1914 et Froment 1921, 1924.
12. Van Eeckout et Bhatt, 1984.
13. Belin et coll., 1996.
14. Kos et coll, 2006.

CHAPITRE 4

Musique et cerveau social

1. Garrigues, 2007.
2. Macrae, 2005.
3. Kampe, 2001.
4. Singer, 2006.
5. Allison et coll., 2000.
6. Adolphs et coll., 2000.
7. Danziger, 2009.
8. Lahav et coll., 2007.
9. Christen-Gueissaz, 2005.

CHAPITRE 5

Musique et résilience

1. Delage, Lejeune et Haddam, 2004.

Bibliographie

ABROMONT C. (2001), *La Théorie de la musique*, Paris, Fayard/Henri Lemoine.

ADOLPHS R., DAMASIO H., TRANEL D., COOPER G. et DAMASIO A. R. (2000), « A role for somatosensory cortices in the visual recognition of emotion as revealed by three-dimensional lesion mapping », *J. Neurosci.*, 20 (7), p. 2683-2690.

ALLISON T., PUCE A. et MCCARTHY G. (2000), « Social perception from visual cues : Role of the STS region », *Trends Cognitive Sciences,* 4 (7), p. 267-278.

ANDRÉ P. (1982), *Schumann, les Chants de l'ombre*, Paris, J.-C. Lattès.

ANGELUCCI F. et coll. (2007), « Investigated the neurobiology of music : Brain-derived neurotrophic factor modulation in the hippocampus of young adult mice », *Behav. Pharmacol.*, 18 (5-6), p. 49149-49146.

ARVEILLER J. (1980), *Des musicothérapies*, Issy-les-Moulineaux, EAP.

AVANZINI G., FAIENZA C., MINCIACCHI D., LOPEZ L. et MAJNO M. (2003), « The neurosciences and music », *Annals of the New York Academy of Sciences*, vol. 999.

AVANZINI G., LOPEZ L., KOELSCH S. et MAJNO M. (2005), « The neurosciences and music II. From perception to performance », *Annals of the New York Academy of Sciences*, vol. 1060.

BARBEAU E., JOUBERT S. et FELICIAN O. (2008), *Traitement et reconnaissance des visages, du percept à la personne,* Marseille, Solal.

BARON-COHEN S. (1997), *Minblindness. An essay on autism and theory of mind,* Cambridge, MIT Press.

BASS S. (2005), *Personne âgée, méditation, identité,* Éditions du non verbal/ A. M. Bx.

BELIN P., VAN EECKHOUT P., ZILBOVICIUS, M. *et al.* (1996), « Recovery from nonfluent aphasia after melodic intonation therapy : A PET study », *Neurology*, 47 (6), p. 1504-1511.

BENGTSSON S. L., NAGY Z., SKARE S., FORSMAN L., FORSSBERG H. et ULLEN F. (2005), « Extensive piano practicing has regionally specific effects on white matter development », *Nature Neuroscience,* 8, p. 1148-1150.

BIGAND E. (2006), « Musiciens et non-musiciens perçoivent-ils la musique différemment ? », *in* LECHEVALIER B., PLATEL H. et EUSTACHE F. (éd.), *Le Cerveau musicien,* Bruxelles, De Boeck, p. 207-236.

BLANC N. (2006), *Émotion et cognition. Quand l'émotion parle à la cognition,* Paris, In Press.

BLOCH M. (2006), *L'Anthropologie cognitive à l'épreuve du terrain : l'exemple de la théorie de l'esprit. Leçon inaugurale du Collège de France,* Paris, Fayard.

BLOOD A. et ZATORRE R. (2001), « Intensely pleasurable responses to music correlate with activity in brain regions implicated in reward and emotion », *PNAS,* 98 (20), p. 11818-11823.

BOBIN C. (1999), *La Présence pure,* Cognac, Le Temps qu'il fait.

BOSSOMAIER T., SNYDER A. (2004), « Absolute pitch accessible to everyone by turning off part of the brain », *Organised Sound,* 9 (2), p. 181-189.

BRADSHAW J.-L. (2003), *Évolution humaine, une perspective neuro-psychologique,* Bruxelles, De Boeck.

BRANDIL M. (2004), « Dire ou chanter ? L'exemple du Tibesti (Tchad) », *L'Homme,* 171-172, p. 303-312.

BRENOT P. (2007), *Le Génie et la Folie,* Paris, Odile Jacob.

BROWN S. (2001), « The "musicolanguage" model of music evolution », *in* WALLIN N., MERKER B. et BROWN S. (éd.), *The Origins of Music,* Cambridge, The MIT Press, p. 271-300.

CALVO-MERINO B., GLASER D. E., GREZES J., PASSINGHAM R. E. et HAGGARD P. (2005), « Action observation and acquired motor skills : An fMRI study with expert dancers », *Cerebral Cortex,* 15 (8) p. 1243-1249.

CANTAGREL G. (2000), *Passion Bach,* Paris, Textuel.

CANTAGREL G., MASSIP C. et REIBEL E. (2005), *Mozart, Don Giovanni, le manuscript,* Paris, BNF/Textuel.

CARREIRAS M., LOPEZ J., RIVERO F. et CORINA D. (2005), « Linguistic perception : Neural processing of a whistled language », *Nature,* 433 (7021), p. 31-32.

CARRUTHERS M. (2002), *Le Livre de la mémoire. La mémoire dans la culture médiévale,* Paris, Macula.

CHRISTEN-GUEISSAZ E. (2005), « Sens de la mémoire... mémoire du sens chez l'adulte vieillissant », *in* SCHENK F., LEUBA G. et BULA C. (éd.), *Du vieillissement cérébral à la maladie d'Alzheimer, autour de la notion de plasticité,* Bruxelles, De Boeck.

COLANGELO O. (1990), *Alternative Knowlegdge. A study of the supernatural and madness in five shakespearian plays,* mémoire de maîtrise d'anglais 1989-1990, université de Provence-Aix-Marseille-I.

COLLET L., CORBE C., DOLY M., IMBERT M. et CHRISTEN Y. (2006), *Percevoir et protéger,* Marseille, Solal.

COLLETTA J. M. et TCHERKASSOF A. (2003), *Les Émotions, cognition, langage, développement,* Wavre, Mardaga.

CONTY L., GEORGE N. (2008), « Visage et cognition sociale », *in* BARBEAU E., JOUBERT S. et FELICIAN O. (éd.), *Traitement et reconnaissance des visages. Du percept à la personne*, Marseille, Solal, p. 413-442.

COSTEMALLE B. (2007), *Mais où est passé le crâne de Mozart ?,* Paris, Panama.

CROISILE B. (2009), *Tout sur la mémoire*, Paris, Odile Jacob.

CULLIN O. (2004), *Laborintus, essai sur la musique au Moyen Âge,* Paris, Fayard.

CYRULNIK B. (1983), *Mémoires de singe et parole d'homme*, Paris, Hachette.

CYRULNIK B. (1989), *Sous le signe du lien,* Paris, Hachette.

CYRULNIK B. (1999), *Un merveilleux malheur,* Paris, Odile Jacob.

CYRULNIK B. (2006), *De chair et d'âme,* Paris, Odile Jacob.

CYRULNIK B. (2007), « Anthropologie naturaliste de la musique : effet de résilience », *in*, LEJEUNE A., MAURY-ROUAN C. et CYRULNIK B. (éd.) *Résilience, vieillissement et maladie d'Alzheimer*, Marseille, Solal, p. 99-108.

DAMASIO A. R. (1994), *L'Erreur de Descartes. La raison des émotions,* Paris, Odile Jacob.

DAMASIO A. R. (2003), *Spinoza avait raison. Joie et tristesse, le cerveau des émotions,* Paris, Odile Jacob.

DANZIGER N. (2009) « Peut-on partager ce qui l'on n'a jamais vécu ? L'empathie chez les patients congénitalement insensibles à la douleur ? », *4e Rencontres de neurologie comportementale*, Paris.

DECHARMS et coll. (2004), « Learned regulation of spatially localized brain activation during real-time fIRM », *NeuroImage*, 21, p. 436-443.

DELAGE M. (2008), *La Résilience familiale*, Paris, Odile Jacob.

DELUT J.-L. (2009), *Chercheur d'éternité. Jean-Sébastien Bach*, Paris, L'Harmattan.

DUFOUR E. (2005), *Qu'est-ce que la musique ?*, Paris, Vrin.

EDELMAN G. M. (2004), *Plus vaste que le ciel. Une nouvelle théorie générale du cerveau,* Paris, Odile Jacob.

ENGINEER N. D., PERCACCIO C. R., PANDYA P. K., MOUCHA R., RATHBUN D. L. et KILGARD M. P. (2004), « Environmental enrichment improves response strength, threshold, selectivity and latency of auditory cortex neurons », *J. Neuphysiol.*, 92, p. 73-82.

ESCHRICH S. et coll (2005), « Remember Bach : An investigation in episodic memory for music », *Ann. N. Y. Acad. Sci.*, 1060, p. 438-442.

FEIJOO J. (1981), « Le fœtus, Pierre et le loup », *in* HERBINET E. et BUSNEL M.-C. (éd.), *L'Aube des sens. Cahiers du nouveau-né*, 5, Paris, Stock, p. 192-209.

FISCHETTI A. (2007), *La Symphonie animale. Comment les bêtes utilisent le son,* Paris, Vuibert.

FISHMANN Y. I., VOLKOV I. O., NOH M. D., GARELL P. C., BAKKEN H., AREZZO J. C. *et al.* (2001), « Consonance and dissonance of musical chords : Neuronal in auditory cortex of monkeys an human », *Journal of Neurophysiology,* 86, p. 271-278.

FUJIOKA T., ROSS B., KAKIGI R., PANTEV C. et TRAINOR L. (2006), « One year of musical training affects development of auditory cortical-evoked fields in young children », *Brain,* 129, p. 2593-2608.

GARRIGUES P. (2007), « Geste, vieillissement et résilience », *in* LEJEUNE A. et MAURY-ROUAN C. (éd.), *Résilience, vieillissement et maladie d'Alzheimer*, Marseille, Solal, p. 81-98.

GEISSMANN T. (2001), « Gibbon songs and human music from an evolutionary perspective », *in* WALLIN N., MERKER B. et BROWN S. (éd.), *The Origins of Music*, Cambridge, MIT Press, p. 103-123.

GIRAUD P. et SIRIGU A. (2003), « A illusory movements of the paralyzed limb restore motor cortex activity », *NeuroImage,* 20, p. 107-111.

GOSSELIN N., PERETZ I., NOULHIANE M., HASBOUN D., BECKETT C., BAULAC M. et SAMSON S. (2005), « Impaired recognition of scary music following unilateral temporal lobe excision », *Brain,* vol. 128, p. 628-640.

GOULD G. et MONSAINGEON B. (2002), *Journal d'une crise suivi de Correspondance de concert,* Paris, Fayard.

GREEN A. M. (1993), *Les Personnes âgées et la Musique,* Issy-les-Moulineaux, EAP.

GUETIN S., GRABER-DUVERNAY B., BLAYAC J.-P., CALVET C. et HERISSON C. (2003), « Effets de la musicothérapie sur les douleurs rhumatismales chroniques rachidiennes. Étude préliminaire sur 40 malades », *Douleurs,* 4, p. 37-40.

HABIB M. et BESSON M. (2008), « Langage, musique et plasticité cérébrale. Perspectives pour la rééducation », *Revue de neuropsychol.*, 18 (1-2), p. 103-126.

HELL B. (1999), *Possession et chamanisme. Les maîtres du désordre,* Paris, Flammarion.

HOF P. R., BUSSIERE T., GOLD G., KOVARI E., GIANNAKOPOULOS P., BOURAS C., PERL D. P. et MORRISON J. H. (2003), « Stereologic evidence for persitence of viable neurons in layer II of the entorhinal cortex and the CA1 field in Alzheimer disease », *J. Neuropathol. Exp. Neurol.*, 62, p. 55-67.

HOLSTEGE G.,GEORGIADIS J. R., PAANS A. M., MEINERS L. C., VAN DER GRAAF F. H., REINDERS A. A. et BOUDOURESQUE G. (2003), « Brain activation during human male ejaculation », *J. Neurosci.*, 23 (27), p. 9185-9193.

IMBERTY M. (2004), « Le bébé et le musical », *in* NATTIEZ J.-J., *Musiques. Une encyclopédie pour le XXIe siècle,* t. 2 : *Les Savoirs musicaux*, Arles, Actes Sud, p. 506-526.

IONESCO E. (1963), *Le roi se meurt,* Paris, Gallimard, « Folio ».

IZUMI A. (2000), « Japanese monkeys perceive sensory consonance of chords », *Journal of the Acoustical society of America,* 108, p. 3073-3078.

JANCKE L., GAAB N., WUSTENBERGT., SCHEICH H. et HEINZE H. J. (2001), « Short-term functional plasticity in the human auditory cortex : An fMRI study », *Cognitive Brain Research*, 12 (3), p. 479-485.

JEANNEROD M. (2002), *La Nature de l'esprit,* Paris, Odile Jacob.

JEANNEROD M. (2002), *Le Cerveau intime,* Paris, Odile Jacob.

JEANNEROD M. (2006), « Plasticité du cortex moteur et récupération motrice », *Motricité cérébrale,* juin, p. 50-57.

JEANNEROD M. (2006), *Motor Cognition. What actions tell the self,* Oxford University Press.

JURGENS U. (2002), « Neural pathways underlying vocal control ». *Neurosci. Biobehav. Rev.*, 26, p. 235-258.

KAMPE K. K., FRITH C. D., DOLAN R. J., FRITH U. (2001), « Reward value of attractiveness and gaze », *Nature,* 413 (6856), p. 589.

KOELSCH S., FRITZ T., CRAMON D. Y. v., MULLER K. et FRIEDERICI A. D. (2006), « Investigating emotion with music : An fMRI study », *Human Brain Maping,* 27, p. 239-250.

KOS et coll. (2006), "Effect of auditory stimulation with popular music on visuomotor integration and gait in Parkinson's disease", *A. A. N.*, San Diego.

KROLAK-SALMON P. et HENAFF M.-A. (2008), « La reconnaissance des émotions à travers les visages », *in* BARBEAU E., JOUBERT S. et FELICIAN O. (éd.), *Traitement et reconnaissance des visages, du percept à la personne*, Marseille, Solal, p. 319-335.

KRUMHANS C. L. et JUSCZYK P. (1990), « Infants perception of phrase structure in music », *Psychological Science,* 1, p. 70-73.

KUNEJ D. et TURK I., « New perspectives on the beginnings of music : Archeological and musicological analysis of a Middle Paleolithic bone “flûte” », *in* WALLIN N., MERKER B. et BROWN S. (éd.), *The Origins of Music*, Cambridge, The MIT Press, p. 235-268.

LABIE J.-F. (2000), *Le Cas Verdi*, Paris, Fayard.

LA FLEUR et coll. (2002), « Motor learning produces parallel dynamic functional changes during the execution and imagination of sequential foot movements », *NeuroImage*, 16, p. 142-157.

LAHAV A., SALTZMAN E. et SCHLAUG G. (2007), « Audiomotor recognition network while listening to newly acquired actions », *J. Neuroscience*, 27, p. 308-314.

LAMBERT J. (2004), « Temps musical et temps social au Yémen. La suite musicale et le Magyal de Sanaa », *L'Homme*, 171-172, p. 151-171.

LECHEVALIER B. (2003), *Le Cerveau de Mozart*, Paris, Odile Jacob.

LECHEVALIER B., PLATEL H. et EUSTACHE F. (2006), *Le Cerveau musicien. Neuropsychologie et psychologie cognitive de la perception musicale*, Bruxelles, De Boeck.

LEDOUX J. (2005), *Le Cerveau des émotions*, Paris, Odile Jacob.

LEJEUNE A. (2004), *Vieillissement et résilience. Résilience et interactions tardives*, Marseille, Solal.

LEJEUNE A., MAURY-ROUAN C. et CYRULNIK B. (2007), *Résilience, vieillissement et maladie d'Alzheimer*, Marseille, Solal.

LEJEUNE A. et DELAGE M. (2009), *La Résilience de la personne âgée, un concept novateur pour prendre en soin la dépendance et la maladie d'Alzheimer*, Marseille, Solal.

LEMARQUIS P. (2008), « Glenn Gould, l'entraînement mental ou la cognition motrice », *Processus cognitifs et musique, Cité des Sciences*, Montréal.

LEMARQUIS P. (2009), « De la musique comme braise de résilience », *in* DELAGE M. et LEJEUNE A. (éd.), *La Résilience de la personne âgée, un concept novateur pour prendre en soin la dépendance et la maladie d'Alzheimer*, Marseille, Solal.

LERDAHL F., JACKENDOFF R. (1983), *A Generative Theory of Tonal Music*, Cambridge, MIT Press.

L'ESCHEVIN P. (1981), *Musique et médecine*, Paris, Stock.

LETORTU O. et PLATEL H. (2007), « Apprentissages de chants nouveaux chez des patients Alzheimer en unités de soins », Séminaire J.-L. Signoret, Caen.

LEUBA G. et SAVIOZ A. (2005), « Vieillissement, plasticité et dégénérescence des circuits cérébraux », *in* SCHENK F., LEUBA G., BULA C. (éd.), *Du viellissement cérébral à la maladie d'Alzheimer. Autour de la notion de plasticité*, Bruxelles, De Boeck, p. 129-166.

LÉVI-STRAUSS C. (1964), *Mythologiques*, t.1 : *Le Cru et le Cuit*, Paris, Plon.

LÉVI-STRAUSS C. (2008), *Œuvres*, Paris, Gallimard, « La Pléiade ».

LEVITIN D. J. (2007), *This is Your Brain on Music,* New York, Plume.

LORTAT-JACOB B. et ROVSING OLSEN M. (2004) « Musique, anthropologie : la conjonction nécessaire », *L'Homme,* 171-172.

LURIA A. R. (1978), *Les Fonctions corticales supérieures de l'homme,* Paris, PUF.

MCDERMOTT J. et HAUSEZR M. (2004), « Are consonant intervals music to their ears ? Spontaneous acoustic preferences in a nonhuman primate », *Cognition,* 94, B11-B21.

MCKINLEY P. (2007), « El programma Canadiense de Tango », *in* PEIDRO R. et COMSCO R. (éd.), *Con el corazon y el tango*, Guadal, Argentine, p. 63-67.

MCNEILAGE P. F. (1998), « The frame/content theory of evolution of speech production », *Behavorial and Brain Sciences*, 21, p. 499-511.

MÂCHE F.-B. (2001), *Musique au singulier,* Paris, Odile Jacob.

MACRAE C. N., QUINN K. A., MASON M. F. et QUADFLIEG S. (2005), « Understanding others : the face and person construal », *J. Pers. Soc. Psychol.*, 89 (5), p. 686-695.

MANTERO R., « La main image du musicien », symposium *Le Corps et la Musique*, bibliothèque de l'Alcazar, Marseille, 25 avril 2008.

MASSIN J. et B. (1990), *Wolfgang Amadeus Mozart,* Paris, Fayard.

MATTEI J.-F. (2001), *Pythagore et les pythagoriciens*, Paris, PUF, « Que sais-je ? ».

MESULAM M. M. (2000), « A plasticity-based theory of the pathogenesis of Alzheimer's disease », *Ann. NY Acad. Sci.,* 924, p. 42-52.

MILLER B et coll. (2000), « Functional correlates of musical and visual ability in frontotemporal dementia », *B. J. P.,* 176, p. 458-463.

MORCAMP D. (2009), « La maladie de Ravel », symposium *La Dernière Fois*, Honfleur, 13 juin 2009.

MOZART W. A. (1999), *Correspondance,* Paris, Flammarion.

MUSÉE DU QUAI BRANLY (2006), *Qu'est-ce qu'un corps ?*, Paris, Flammarion.

NIEOULLON A., BEAR M. F., CONNORS B. W. et PARADISO M. A. (1997), *Neurosciences. À la découverte du cerveau,* Rueil-Malmaison, Pradel.

NOTTEBOHM F. et coll. (1994), « The life span of new neurons in a song control nucleus of the adult canary brain depends on time of year when these cells are born », *Proc. Natl. Acad. Sci. USA,* 91 b, p. 7849-7853.

OLDS J. et MILNER P. (1954), « Positive reinforcement produced by electrical stimulation of septel area and other regions of rat brain », *J. Comp. Physiopsychol.,* 47, p. 419-427.

OGAY S. (1996), *Alzheimer. Communiquer grâce à la musicothérapie,* Paris, L'Harmattan.

ORBAN G. (2007), *La Vision, mission du cerveau, les trois révolutions des neurosciences. Leçon inaugurale du collège de France,* Paris, Fayard.

PANOFSKY E. (1969), *L'Œuvre d'art et ses significations. Essai sur les arts visuels,* Paris, Gallimard

PANTEV C., OOSTENVELD R., ENGELIEN A., ROSS B. et ROBERTS LE HOKE M. (1998), « Increased auditory cortical representation in musicians », *Nature,* 392, p. 811-814.

PANTEV C., ROBERTS L. E., SCHULZ M., ENGELIEN A. et ROSS B. (2001), « Timbre-specific enhancement of auditory cortical representations in musician », *Neuroport,* 12, p. 169-174.

PARSONS L. M. (2003), « Exploring the functional neuroanatomy of music performance, perception, and comprehension », *in,* PERETZ I. et ZATORRE R., *The Cognitive Neurosciences of Music,* Oxford, Oxford University Press, p. 247-268.

PASCUAL-LEONE A., DANG N., COHEN L.G., BRASIL-NETO J.,CAMMAROTA A. et HALLETT M. (1995), « Modulation of motor responses evoked by transcranial magnetic stimulation during the acquisition of new fine motor skills », *Journal of Neurophysiology,* 74, p. 1037-1045.

PATEL A. D. (2008), *Music, Language and the Brain,* Oxford, Oxford University Press.

PAYNE K. (2001), « The progressively changing songs of humpback whales : A window on the creative process in a wild animal », *in* WALLIN N. L., MERKER B., BROWN S., *The Origins of Music,* Cambridge, MIT Press, p. 135-150.

PERETZ I. et ZATORE R. (2003), *The Cognitive Neuroscience of Music,* Oxford, Oxford University Press.

PETKOV C., KAYSER C., STEUDELT, WHITTINGSTALL K., AUGATH LOGOTHETIS N. (2008), « Avoice region in the monkey brain », *Nature Neuroscience,* 11, p. 367- 374.

PINKER S. (2005), *Comprendre la nature humaine,* Paris, Odile Jacob.

PINKER S. (2000), *Comment fonctionne l'esprit,* Paris, Odile Jacob.

PLATEL H., PRICE C., BARON J.C., WISE R., LAMBERT J., FRACKOWIAK R.S., LECHEVALIER B. et EUSTACHE F. (1997), « The structural components of music perception : A function anatomical study », *Brain,* 120, p. 229-243.

PLATON, *Timée, Critias,* présentation et traduction par L. Brisson, Paris, Garnier-Flammarion.

PLUHAR C., GALEAZZI L., BEASLEY M. et L'ARPEGIATTA (2001), *La Tarentelle, Antidotum Tarantulla,* CD, Les Chants de la terre, Alpha 503.

POLYDOR J.-P. (2009), « Empathie et résilience : le théâtre de la communication dans la maladie d'Alzheimer, l'hypothèse des neurones miroirs », *in* DELAGE M. et LEJEUNE A. (éd.), *La Résilience de la personne âgée, un concept novateur pour prendre en soin la dépendance et la maladie d'Alzheimer*, Marseille, Solal, p. 129-132.

PORRO C. A., FRANCESCATO M. P., CETTOLO V., DIAMOND M. E., BARALDI P. et ZUIANI C. *et al.* (1996), « Primary motor and sensory cortex activation during motor performance and motor imagery : A functional magnetic resonance study », *Journal of Neuroscience,* 16, p. 7688-7698.

POULIQUEN K. (2007), « La nuque nouveau lieu du désir », *L'Express.*

PRAT J.-L. (1989), *L'Œuvre ultime. De Cézanne à Dubuffet,* Saint-Paul-de-Vence, Fondation Maeght.

PURVES D., AUGUSTINE G., FITZPATRICK D., HALL W., LAMANTIA A. S., MC NAMARA J. et WILLIAMS S. (2005), *Neurosciences*, Bruxelles, De Boeck.

QUIGNARD P. (2008), *Boutès*, Paris, Galilée.

RAPPOPORT D. (2004), « Musique et morphologie rituelle chez les Toraja d'Indonésie », *L'Homme,* 171-172, p. 197-218.

RAULT L. (2008), *Instruments de musique du monde,* Paris, La Martinière.

RAUSCHER F. H., SHAW G. L., KY K. N. (1993), « Music and spatial task performance », *Nature,* 365, p. 611.

RENNEVILLE M. (2000), *Le Langage des crânes. Une histoire de la phrénologie,* Paris, Les Empêcheurs de penser en rond.

ROSSION B. (2008), « Étude de la neuro-anatomie du traitement des visages par la neuro-imagerie fonctionnelle », *in* BARBEAU E., JOUBERT S. et FELICIAN O. (éd.), *Traitement et reconnaissance des visages. Du percept à la personne*, Marseille, Solal, p. 79-111.

ROUGET G. (1990), *La Musique et la Transe*, Paris, Gallimard.

ROUSSEAU J.-J. (1990 [1781]), *Essai sur l'origine des langues,* Paris, Gallimard, « Folio ».

ROSENKRANZ K., WILLIAMON A., ROTHWELL J. C. (2007), « Motor excitability and synaptic plasticity is enhanced in professional musicians », *J. Neurosci.*, 27 (19), p. 5200-5206.

RIZZOLATTI G., SINIGAGLIA C. (2008), *Les Neurones miroirs,* Paris, Odile Jacob.

SACKS O. (1985), *L'homme qui prenait sa femme pour un chapeau,* Paris, Seuil.

SACKS O. (2007), *Musicophilia. Tales of music and the brain,* New York, Knopf.

SARKAMO T., TERVANIEMI M., LAITININ S., FORSBLOM A., SOINILA S., MIKKONEN M., AUTTI T., SILVENNOINEN H., ERKKILA J.,

LAINE M., PERETZ I. et HIETANEN M. (2008), « Music listening enhances cognitive recovery and mood after middle cerebral artery stroke », *Brain*, 131, p. 866-876.

SCHENK F., LEUBA G. et BULA C. (2005), *Du vieillissement cérébral à la maladie d'Alzheimer, autour de la notion de plasticité,* Bruxelles, De Boeck.

SCHNEIDER M. (1989), *La Tombée du jour. Schumann*, Paris, Points.

SCHNEIDER M. (1994), *Glenn Gould. Piano solo,* Paris, Gallimard, « Folio ».

SCHNEIDER M. (2001), *Musiques de nuit,* Paris, Odile Jacob.

SCHNEIDER P., SLUMING V., ROBERTS N., BLEECK S. et RUPP A. (2005), « Structural, functional, and perceptual differences in Heschl's gyrus and musical instrument preference », *Ann. NYAS,* 1060, p. 387-394.

SCHNEIDER S., SCHÖNLE P. W., ALTENMULLER E. MÜNTE T. F. (2007), « Using musical instruments to improve motor skill recovery following a stroke », *J. Neurol.*, 254 (10), p. 1339-1346.

SCHWARTZ D. A., HOWE C. Q. et PURVES D. (2003), « The statistical structure of human speech sounds predicts musical universals », *J. Neurosc.*, 23, p. 7160-7168.

SCOTT C. (1990), *La Musique, son influence secrète à travers les âges*, Neuchâtel, La Baconnière.

SEEGER A. (2004), « Chanter l'identité. Musique et organisation sociale chez les Indiens suya du Mato Grosso (Brésil) », *L'Homme*, 171-172, p. 135-150.

SIGNORET J.-L., VAN EECKOUT P., PONCET M. et CASTAIGNE P. (1987), « Aphasie sans amusie chez un organiste aveugle », *Revue neurologique*, 143, p. 172-181.

SINGER T. (2006), « The neuronal basis and ontogeny of empathy and mind reading : Review of literature and implications for future research », *Neurosci. Biobehav. Rev.*, 30 (6), p. 855-863.

SLUMING V., BROOKS J., HOWARD M., DOWNES J. J. et ROBERTS N. (2007), « Broca's area supports enhanced visuospatial cognition in orchestral musicians ? », *J. Neurosci.*, 27 (14), p. 3799-3806.

SNYDER A. W. (2003), « Savant-like skills exposed in normal people by suppressing the left fronto-temporal lobe », *J. I. N.* , 2 décembre, vol. 2.

STEWART L. (2005), « A neurocognitive approach to music reading », *Ann. N. Y. Acad. Sci.,* 1060, p. 377-386.

STRICKER R. (1984), *Robert Schumann, le Musicien et la Folie,* Paris, Gallimard.

TOMATIS A. (1999), *Écouter l'univers,* Paris, Robert Laffont.

TRAINOR L. J., TREHUB S. E. (1998), « Singing to infants : Lullaby and play song », *in* ROVEE-COLLIER C., LIPSITT L. P. et HAYNE H., *Advances in Infancy Research*, Standford CT Ablex publishing, vol. 12, p. 43-77.

VAN EECKHOUT P., HORNADO C., BHATT P., DEBLAIS J.-C. (1983), « De la thérapie mélodique et rythmique et de sa pratique », *Rééducation orthophonique,* 21, p. 301-316.

VIGOUROUX R. (2004) « Vieillissement et créativité chez les musiciens », *in* LEJEUNE A., *Vieillissement et résilience*, Marseille, Solal, p. 195-211.

WALLIN N. L., MERKER B., BROWN S. (2001), *The Origins of Music,* Cambridge, MIT Press.

WATZLAWICK P., BEAVIN J., JACKSON D. (1967), *Une logique de la communication*, Paris, Seuil.

WEISKRANTZ L. (1990), *Blindsight,* Oxford, Oxford University Press.

YALOM I. (2005), *La Méthode Schopenhauer. Apprendre à mourir*, Paris, Galaade.

YANG Y., GELDMACHER D. S., HERRUP K. (2001), « DNA replication precedes neuronal cell death in Alzheimer's disease », *J. Neurosc.,* 21, p. 2661-2668.

YATES F. A. (1966), *L'Art de la mémoire*, Paris, Gallimard.

YSABEAU A. (1909), *Lavater et Gall : Physiognomonie et phrénologie rendues intelligibles pour tout le monde ; exposé du sens moral, des traits de la physionomie humaine et de la signification des protubérances de la surface du crâne relativement aux facultés et aux qualités de l'homme (nouvelle édition accompagnée de 150 figures dans le texte)*, Paris, Garnier Frères.

ZEMP H. (2004), « Parole de balafon », *L'Homme,* 171-172, p. 313-332.

ZHU X., ROTTKAMP C. A., BOUX H., TADEKA A., PERRY G., SMITH M. A. (2000), « Activation of P 38 kinase links tau phosphorylation, oxydative stress, and cell cycle-related events in Alzheimer diseased », *J. Neuropathol. Exp. Neurol.,* 59, p. 880-888.

WIKIPÉDIA ET GOOGLE...

ABRIAL G. http://www.easyclassic.com/W/EZ/site/: tout ce que vous avez toujours voulu savoir sur la musique classique sans jamais oser le demander.

WHALESWHISPERERS : baleines, dauphins et musique http://www.whaleswhisperers.org/

FILMOGRAPHIE

2001, l'Odyssée de l'espace (*2001 : A Space Odyssey*), Stanley Kubrick, 1968.
Amadeus, Milos Forman, 1984.
Anna, Alberto Lattuada, 1952.
Apocalypse Now, Francis Ford Coppola, 1979.
Blade Runner, Ridley Scott, 1982.
Buena Vista Social Club, Win Wenders, 1999.
Farinelli, Gérard Corbiau, 1994.
Homme qui en savait trop (L') (*The Man Who Knew Too Much*), Alfred Hitchcock, 1956.
Journal intime (Caro Diario), Nanni Moretti, 1994.
Ludwig van B., Bernard Rose, 1985.
Mars Attacks, Tim Burton, 1997.
Mein Name ist Bach, Dominique de Rivaz, 2004.
Mozart, Marcel Bluwal, 1982.
Océans, Jacques Perrin et Jacques Cluzaud, 27 janvier 2010.
Orange mécanique (*A Clockwork Orange*), Stanley Kubrick, 1972.
Préparez vos mouchoirs, Bertrand Blier, 1978.
Ray, Taylor Hackford, 2005.
Rencontres du troisième type (*Close Encounters of the Third Kind*), Steven Spielberg, 1977.
Sept ans de réflexion (*The Seven Years Itch*), Billy Wilder, 1955.
Shine, Scott Hicks, 1997.
The Blues. Du Mali au Mississippi, Martin Scorsese, 2003.
The Blues. Piano Blues, Clint Eastwood, 2003.
The Blues Brothers, John Landis, 1980.
Villa Amalia, Benoît Jacquot, 2009.
Yellow Submarine, Georges Dunning, 1968.

ET PUIS AUSSI

Jean-François Zygel, *La Leçon de musique. Mozart*, Naïve, 2006.
Serge Gainsbourg, *Le Jeu de la vérité*, présenté par Patrick Sabatier, 1985
Nicolas Hulot, *Ushuaia*.

Remerciements

« With a little help from my friends. »
The Beatles, *Sgt Pepper's Lonely Hearts Club Band*, 1967.

Cet ouvrage est dédié à mes « maîtres » et modèles, tant pour leurs connaissances que pour leurs formidables qualités humaines. Leur présence éclaire chaque page de ce livre.

En tout premier lieu, à Boris Cyrulnik qui a initié le projet, avec Antoine Lejeune, et qui l'a soutenu avec empathie. Puisse, comme dans une nouvelle de Borges, le reflet de son reflet parvenir jusqu'à ces lignes.

À Maximilian Fröschl, le Viennois, chef d'orchestre et philosophe, pour nos longues et fructueuses discussions.

À Benoît Kullmann, qui m'a initié à la neurologie, ébloui par sa culture et sa fidèle amitié.

Merci aussi à mon épouse et à ma fille, pour leur soutien et leur réconfort.

À mon fils pour son esprit caustique, ses connaissances et ses réflexions si constructives.

À Antoine Lejeune et aux membres de l'association « Résilience et vieillissement ».

À Gérard Abrial et aux Mailomanes, au Festival de musique d'Eygalières.

À François Vincentelli et à toute l'équipe du jeune Festival de musique de Santa Reparata.

À Michel Oreggia, pour sa patience, sa pédagogie et ses leçons de piano.

À l'organiste Pascal Marsault et à ses Colombiennes.

À Ariel Béresniak, Manfred Stilz.

Aux professeurs Richard Khalil, Michel Poncet, Louis Ploton, Michel Delage, Olivier Lyon-Caen, Ayman Tourbah, Pierre Labauge, Dominique Bremond-Gignac, Geneviève

Berger, René Soulayrol, Jean-Philippe Azulay, Bernard Laurent et à Denise Strubel et Marc Ziegler pour leurs encouragements, Jean Pelletier pour sa documentation, Bernard Croisile pour son amitié, Michel Habib pour le tango, la plasticité et les neurones miroirs.

Au professeur Isabelle Peretz pour son accueil à Montréal au BRAMS.

À Paul Charbit, Jean-Pierre Polydor et tous les participants des journées Art-Cerveau-Pensée de Mouans-Sartoux.

Aux membres du CVCI de Toulon pour leur confiance et la qualité de leur écoute.

À Françoise et François T.

À Marie-Lorraine Colas pour son travail d'orfèvre.

À Maria-Luisa Sonnet et l'Association des neurologues franco-argentins (sans oublier Michel !).

À la ville de Salta (Argentine) et à Emilio Benitez et sa famille.

À Giuseppe Caruso, Lilia Volpi et à la ville de Bologne.

À Rénatus et Claire Scherer et à la ville d'Oyonnax.

À Olivier Weill et ses amis d'Avignon.

Aux frères Ténoudji, au professeur Didier Smadja et à la Martinique.

À Caroline Serero et Georges Kéramidas.

Aux époux Turc, Boudouresques, Crémieux, Bourrin, Bouchacourt, Péroni.

À Hervé Guinot, Christiane Karakoglou, Sophie Soulayrol.

À Pierre Perrigaud et à Ganesh.

À Henri Tramier, à Sylvie Coulet et à la station Alexandre.

À Yukimi, Pedro Aledo, Jean-Christophe Slucki, Henri Eskénazi, René Heuzey et aux membres de l'association WhalesWhisperers, à Patrice Van Eersel, Fréderic Chotard.

À la Société d'études internationales du Sud et à tous ses sympathisants.

Et à tant d'autres encore – comme Brassens, je n'ai pas la mémoire des noms.

À chacun 9 999 baisers sur chaque joue.

Table

CHAPITRE 3

Les effets de la musique sur le cerveau

Troisième mouvement : appassionata

(Menuet, allegretto)

CHAPITRE 4

Musique et cerveau social

Quatrième mouvement : Ode à la joie

(Rondo, allegro)

CHAPITRE 5

Musique et résilience

Cinquième mouvement : Fireworks Music

Ouvrage proposé par
Boris Cyrulnik

Achevé d'imprimer par SAGIM en octobre 2009
sur rotative Variquik à Courtry (Seine et Marne)

Cet ouvrage a été transcodé et mis en pages
chez Nord Compo (Villeneuve-d'Ascq)
N° d'impression : 11638
N° d'édition : 7381-2309-X
Dépôt légal : novembre 2009
Imprimé en France

L'imprimerie Sagim est titulaire de la marque
Imprim'vert® depuis 2004